（口絵１）レオナルド・ダ・ヴィンチ《最後の晩餐》
ミラノ、サンタ・マリア・デレ・グラツィエ聖堂、
1495－97年

（口絵2）カラヴァッジョ《エマオの晩餐》ロンドン、ナショナル・ギャラリー、1601年

（口絵３）ダニエーレ・クレスピ《聖カルロの食事》
ミラノ、サンタ・マリア・デラ・パッショーネ聖堂、
1628年頃

（口絵４）ヨルダーンス《豆の王の祝宴》ウィーン
美術史美術館、1640－45年頃

（口絵5）
ヴィンチェンツォ・カンピ《リコッタチーズを食べる人々》リヨン美術館、1580年頃

（口絵６）アンニーバレ・カラッチ《豆を食べる男》ローマ、コロンナ美術館、1585 年頃

（口絵７）ゴッホ《馬鈴薯を食べる人々》アムステルダム、ファン・ゴッホ美術館、1885 年

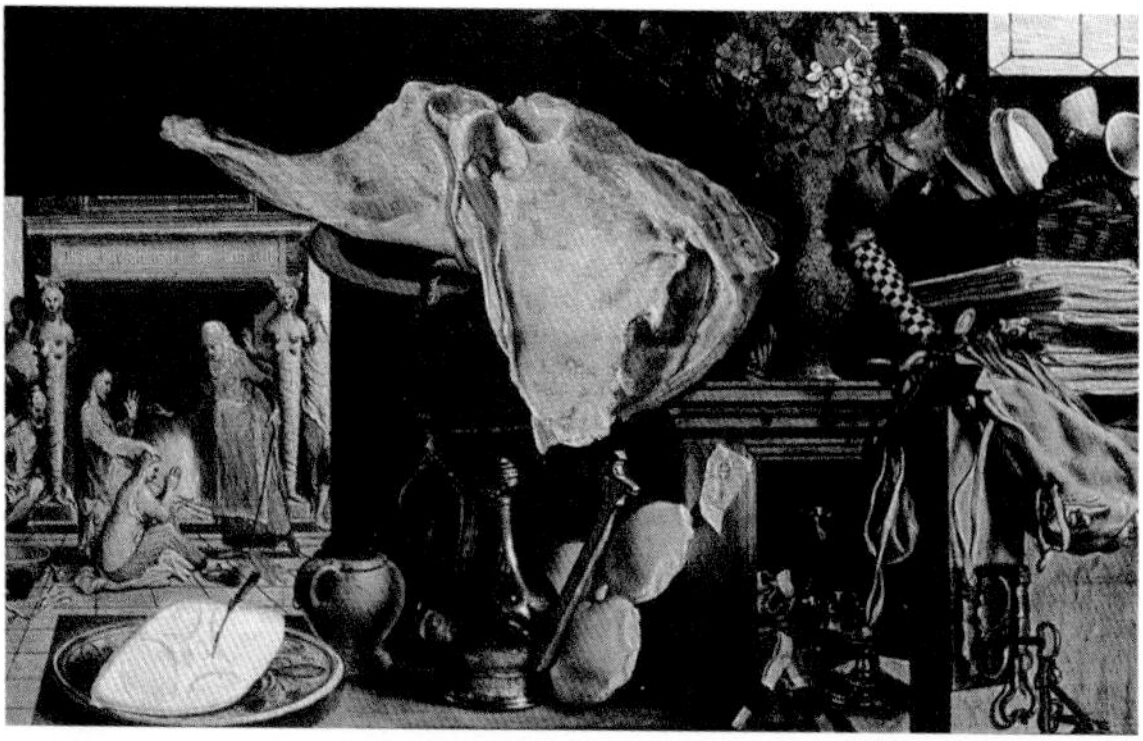

（口絵8）アールツェン《マルタとマリアの家のキリスト》ウィーン美術史美術館、1552年

（口絵9）アールツェン《肉屋》ローリー、ノースカロライナ美術館、1551年

（口絵10）ブリューゲル《謝肉祭と四旬節の戦い》ウィーン美術史美術館、1559年

（口絵11）リベラ《味覚》ハートフォード、ワズワース・アシーニアム、
1613－16年

（口絵12）レンブラント《皮を剥がれた牛》パリ、ルーヴル美術館、1655年

（口絵13） サンチェス・コタン《静物》カリフォルニア、サン・ディエゴ美術館、1600 年頃

（口絵14） ダリ《最後の晩餐》ワシントン、ナショナル・ギャラリー、1955 年

（口絵15）マネ《草上の昼食》パリ、オルセー美術館、1863 年

（口絵16）ルノワール《舟遊びたちの昼食》ワシントン D.C.、フィリップス・コレクション、1880－81 年

（口絵17）メンツェル《圧延工場》ベルリン国立美術館、1875年

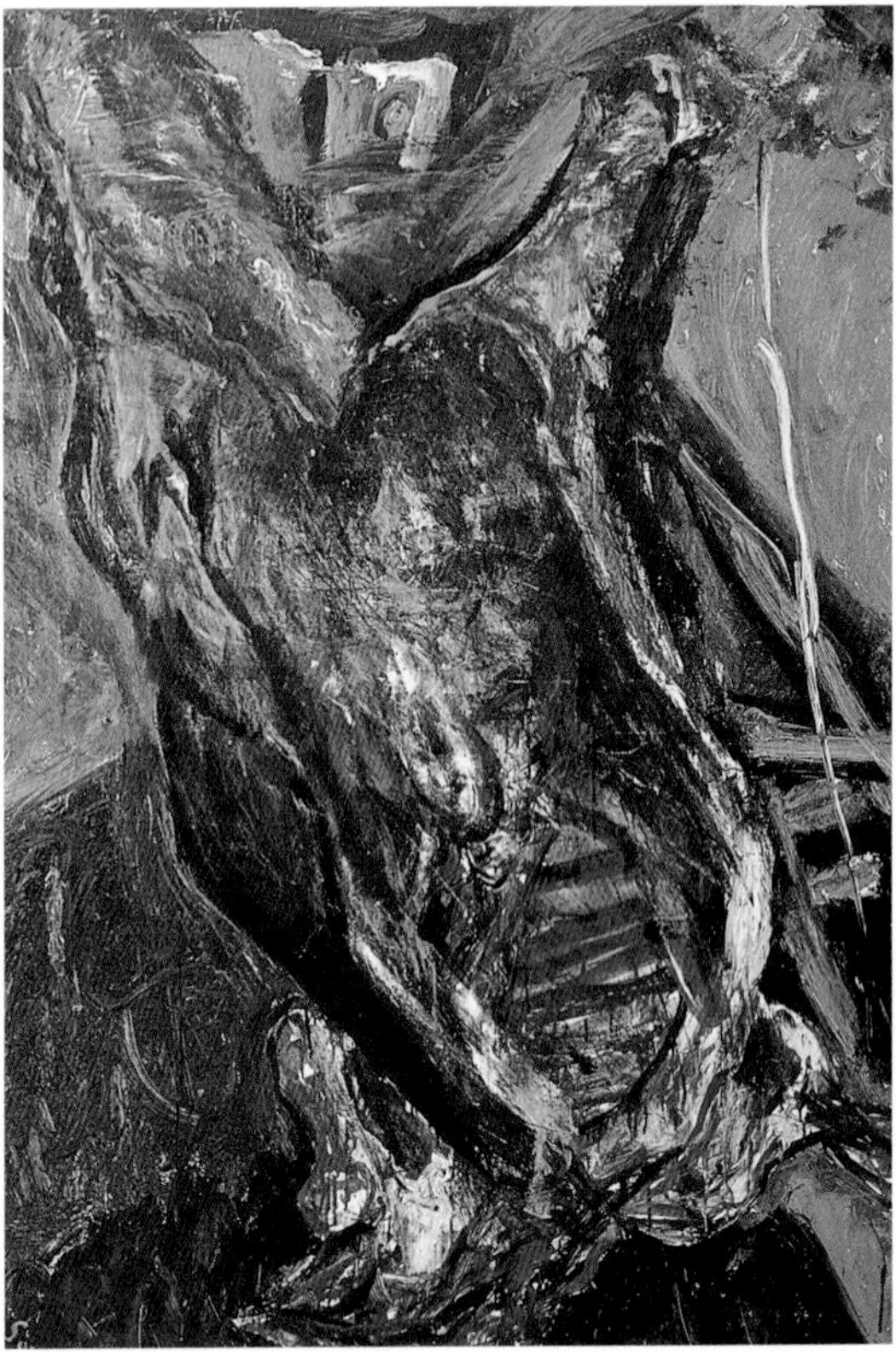

（口絵18）スーチン《皮を剥がれた牛》バッファロー、オルブライト＝ノックス・アート・ギャラリー、1925年頃

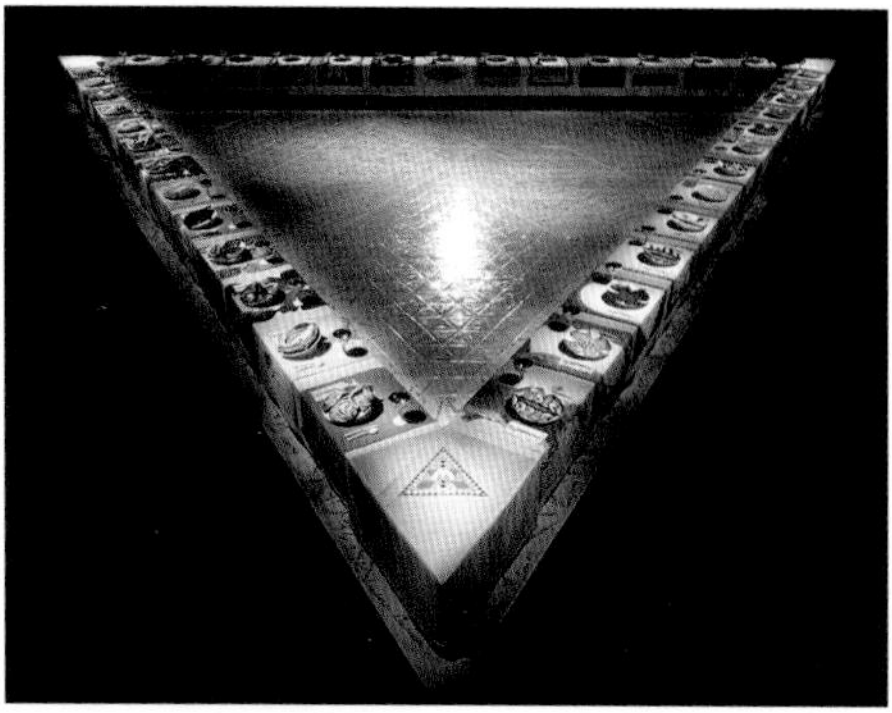

（口絵19）ジュディ・シカゴ《ディナー・パーティー》ニューヨーク、ブルックリン美術館、1979 年
© 2023 Judy Chicago / ARS, New York / JASPAR, Tokyo G3424

（口絵20）ジュディ・データー《食べる》、1982年
© Judy Dater

（口絵21）ウォーホル《最後の晩餐》ピッツバーグ、アンディ・ウォーホル美術館、1986年

食べる西洋美術史

「最後の晩餐」から読む

宮下規久朗

光文社未来ライブラリー

0028

プロローグ

大学に勤めていると、学期末には膨大な数のレポートや試験答案を読んで成績をつけなければならない。これが実にうんざりする面倒な作業であるのは、一度でも経験したことのある人にはわかってもらえるだろう。でも何十枚かにひとつくらい、はっとさせられるレポートや答案があって苦労が報われる瞬間がくることがある。

以前、ある大学の試験答案を読んでいて、思わず感動したことがあった。問題のひとつに「講義のスライドで見た作品のうち、印象に残ったものについて感想を書け」というものを出した。授業にちゃんと出ていたかを見るのと、授業には出席していたのに他の問題ができない学生の救済用にいつもこういう問題を用意しているのである。

その中のひとつの答案に「最後の晩餐」について書かれたものがあった。講義では中世初期から現代にいたる数多くの「最後の晩餐」を見せたのだが、もっとも有名なレオナルド・ダ・ヴィンチのものを挙げる学生が多い。

ところが、この学生は、レオナルドとも誰とも書かずに、「最後の晩餐」にまつわる自分の思いを書いていた。書かれていた内容を要約すると、この学生は中学二年のとき両親が離婚したというが、父が家を出て行く前日に皆で夕食をとったとき、父が「今日は最後の晩餐やで」と言ったという。少年には、家族そろって食べた最後の夕食の記憶とともにこの発言が妙に耳に残ることとなった。後になって彼は、自分のもとを去った父が、自分を愛していなかったのではないかと思って苦しんだ。しかし、どこかで「最後の晩餐」の絵を見たとき、幼少時代に父とキャッチボールをした思い出などがふとよみがえり、父はやはり自分のことを愛してくれていたのだと悟ってわだかまりが消えていったという。以来、彼は、好んで最後の晩餐の絵を見るようになったという。

汚い字と拙い言葉だが真実味あふれるこの学生の答案を読んだとき、思わず涙ぐんでしまった私はこの答案に満点をつけた。図像や様式の分析もなく、作者や時代についてもふれられておらず、美術史的にはとても模範答案とはいえないが、美術の力を十二分に示すエピソードであることはまちがいない。

この学生はキリスト教的な知識というより、「最後の晩餐」という言葉によって絵に反応したわけだが、レオナルドの《最後の晩餐》に漂う厳粛な雰囲気も悲しい思い出をよびおこした要因であったにちがいない。学生はそうは書いていなかったが、もしかして彼はあの絵の優しげなキリストの表情のうちに幼くして生き別れた父の残像を見たのかもしれない。

「最後の晩餐」の絵は、ほかのあらゆる優れた宗教美術と同じく、信者にとってのみ意味をもつのではない。優れた美術作品はいかなる宗教が生み出したものであれ、普遍的な人間の真実を表象しており、異なる文化圏にある者の心にも訴える力をもっているのである。

ただし、こうした真実や力はいつでも誰の心にも響くものではない。出会うべきときに出会ったときに特に大きく作用するのだ。画中のキリストのうちに別れた慈父の面影を見るのは、見る者にそれだけ切実にそれを求める心情があったからだが、優れた美術作品は個人的な心情を許容する大きさと深さを備えている。そして、それらはときに悲しみに沈んだ者を救いあげ、浄化する力をも発揮するのである。そんなとき、美術はもはや趣味的な鑑賞の対象などではなく、宗教そのものに化しているといってよい。

さらに、このエピソードは、美術作品の力だけでなく、食事がコミュニケーションの重要な手段でもあるということを示している。食事というものが、家族の一体感を確認する行為であるからこそ、父の記憶が夕食と結びついてしまったのだ。

§

食事は単に生存の手段であるだけではない。文化人類学者の石毛直道氏によると、人間の家族という単位は、もともと食べ物を分け合ってともに食べるという人類特有の行為から形成されたのだという。日々の食事は家族団欒《だんらん》の場であり、仲間とのコミュニケーションの重要な舞台である。「同じ釜の飯を食う」という言葉があるように、いつも食事をともにしていた人には特別な結びつきを感じるものであるし、腹を割って話せる相手との食事ほど楽しいものはない。食事をともにすることによって相手への親しみが増すのである。仕事の世界でも、朝食会、ビジネス・ランチ、接待と、食事がビジネスの舞台となることは一般的だが、これは、食事をともにすることが円滑な取引や組織の団結を促すものだからである。

また、葬式の際、供養のために参列者が死者とともに食事をする習慣や、キリスト教におけるもっとも重要な儀式が擬似的な食事であることなどからもわかるように、食事は、人間どうしだけでなく、生者と死者、人と神とをつなぐ重要な媒介ともなっている。

神への供え物を皆で食べることを「共食」というが、これは神と人、人と人との結合を強める儀礼として重要であった。わが国でもこの習慣は古くからあった。神祭のとき神に神饌《しんせん》をささげ、それを司祭者や参加者がいただく神人共食の儀礼を相嘗《あいなめ》や直会《なおらい》というが、これを通じて神と人との一体感を強め、確認することこそが祭りの本質であったのである。

神人共食の儀礼は人間どうしの共食の風《ならわし》にもおよび、村落社会の寄合などの集会でも共同飲食がおこなわれた。「一味同心」といい、同じ飲食物をともに味わうことによって親密感を増し、心を一にして共同体的結合を強化しようとするものであった。

武士団の党ややくざの集団で、酒を酌み交わして会食するのも、共食によって主従的結合や同志的結合を強めようとするものである。桃太郎の説話で、桃太郎が鬼退治に出かけるとき腰に下げたキビダンゴも、単なる食料ではなく、犬・猿・キジに与えて共食することによって、主従の交わりを結ぶための食物であった。

また親子杯・兄弟杯・夫婦杯なども、一つ杯で酒を飲み合うことによって互いの心が結ばれるとする共食の一つである。一度杯を受けて親子や兄弟になると、血のつながった肉親以上に濃密な関係となるという任侠道では、杯を返すとか、杯を割るという行為が縁を切ることになっている。杯という器物にそこまでの象徴を負わせるという点では、キリスト教の聖杯のようで興味深い。

このように、古今東西を問わず、食事というものは根本的には宗教的で社会的であるといってよく、儀礼や美術と深く関係しているのも当然であるといえよう。

§

さて、西洋、とくに地中海諸国は古来、食べることに貪欲であり、食にかける情熱はしばしば料理を芸術の域にまで高めた。また、食べ物や食事は西洋美術においては常に中心的なテーマであった。古代世界ではすでに食物がさかんに表現され、墓室には宴会の情景が描かれていたが、中世にキリスト教によって食事に神聖な意味が与えられると、食事の情景が美術の中心を占めるにいたった。

この伝統が近代にも継承され、現代もなお重要な主題であり続けている。

聖書を読むと、「食べる」「飲む」「宴席」といった言葉が非常によく目につく。西洋における飲食の意味は何よりもキリスト教と結びつけて考えられるべきであろう。

キリスト教に限らず、食事というものは、どんな文化圏においてもある種、宗教的な側面を持っている。

ところが、食にかけては西洋以上に貪欲であった中国では、食が美術の主題になることはきわめて少なく、また日本では近代にいたるまで食事が独立した主題になったことが絶えてなかった。そう考えると、食事が美術と結びついたのは西洋特有の事象であり、西洋の美術と文化を考える上できわめて重要な手がかりとなると思われるのである。

本書は、食事あるいは食物の美術表現を振り返り、その意味を考えることによって、西洋美術史を別の角度から照らし出そうとするものである。さらに、それらを見ていくことによって、文化としての食事の意味についても考えてみたい。

食べる西洋美術史　目次

第2章　よい食事と悪い食事　49

第3章　台所と市場の罠　107

第1章
《最後の晩餐》と西洋美術

1-1 レオナルド・ダ・ヴィンチの《最後の晩餐》

二つの表現

レオナルド・ダ・ヴィンチが一四九五年から九七年にかけてミラノのサンタ・マリア・デレ・グラツィエ聖堂の壁面に描いた《最後の晩餐》(口絵1)は、レオナルドが遺した唯一の大作として有名であり、ルネサンスのもっとも重要な記念碑となっている。この絵は、話題となった『ダ・ヴィンチ・コード』というベストセラー小説や映画でも、重要な役割を担っている。

キリストは捕縛される前日、エルサレムで十二人の弟子たちと食事をした。この日は過越祭《すぎこしさい》の日に当たっており、過越の食事(パサハ)をとることになった。過越祭とは、エジプト人の長子と家畜の初子を滅ぼした神の使いが、ユダヤ人の家を過ぎ越したことに基づき、ユダヤ人の根源をなすエジプト脱出を記念する春の祭りである。この日は子羊を犠牲にし、ふくらし粉の入っていない種なしパンとともに食して祝うことになっていた。

キリストはこの食事の席でふいに、「はっきり言っておくが、あなたがたのうち一人が、私を裏切ろうとしている」という衝撃的な発言をする。レオナルドの絵は、この発言を聞いた使徒たちが驚き慌てる様子をとらえたものである。ここには画家の鋭い人間観察の成果が見られ、驚愕と動揺、疑念と怒りといった使徒たちの様々な感情が身振りと表情によって見事に表されている。

十二人の弟子たちは三人ずつのグループに分かれ、それぞれ裏切り者は誰だと話し合ったりキリストに問いただしたりしている。裏切り者のユダだけがこの動揺に加わらず、傲然《ごうぜん》としてテーブルに右ひじをついている。キリストを中心として左右に六人ずつの弟子が配された左右対称の人物配置、そして、天井の線を辿るとキリストの頭の位置に消失点が来るようになっている一点透視法による構成はきわめて明快であり、堂々とした古典主義様式の模範的作例となっている。

テーブルの上に両手を広げたキリストの身振りは、「裏切りの告知」であるだけではない。

キリストの伸ばした左手の先には丸いパンが見え、右手の先にはワインの入ったグラスがある。キリストはこの晩餐の席で、賛美の祈りを唱えてパンを割き、弟子たちに与えて、「取りなさい。これは私の体である」と宣言し、ワインの杯をとって感謝の祈りを唱えて弟子たちに渡し、「皆この杯から飲みなさい。これは、多くの人のために流される私の血、契約の血である」と述べた。これはマタイ、マルコ、ルカの三つの福音書が共通して記述している内容である。

以後、キリスト教会は、こうしたキリストの言葉に従って、聖体たるパン（聖餅、ホスティア）を食し、聖血たるワインを飲む儀式、つまりミサを執り行うようになった。祈ってパンを割き、配餐して杯を回す所作は、もともとユダヤ人の家長が過越祭や安息日のときに家庭で行う食習慣であった。

ミサは、聖餐式、聖体拝領などと訳され、カトリック、プロテスタント、ギリシア正教会などあらゆる宗派に共通するキリスト教のもっとも重要な典礼である。ヨハネの福音書には、「最後の晩餐」の箇所には「裏切りの告知」しか記されていないが、もっと前に、ユダヤ人と議論するキリストの言葉として、「はっきり言っておく。人の子の肉を食べ、わたしの血を飲む者は、永遠の命を得、わたしはその人を終わりの日に復活させる。わたしの肉はまことの食べ物、わたしの血はまことの飲み物だからである。わたしの肉を食べ、わたしの血を飲む者は、いつもわたしのうちにおり、わたしもまたいつもその人のうちにいる。……これは天から下って来たパンである。先祖が食べたのに死んでしまったものとは違う。このパンを食べる者は永遠に生きる」（6：53－58）と、さらに詳しく聖餐の意義について記している。

聖餐式は、キリストの犠牲と復活を覚え、キリストを自分の体のうちに取り込み、罪の許しと体の復活にあずかるという、キリスト者としての救済を確認する行為である。教会に設置されている祭壇というものは、この聖餐のための食卓にほかならない。そのため、余計なものは置かず、テーブルクロスのような白い布がかけられていることが多いのである。

初期のキリスト教徒は、共同体としての結束を確認するためにしばしば集まって食事（愛餐、アガペー）をしており、これと聖餐式とははっきりと区別されていなかったが、二世紀半ば頃から愛餐と分離し、感謝の祈りを中心とする「エウカリスティア（聖餐）」という典礼になった。これが教会内のミサとなったのである。

「最後の晩餐」という主題の最大の意義は、この「聖餐式の制定」、あるいは「ミサの起源」にあった。キリストの生涯の中で、後述の「カナの婚礼」や「パンと魚の奇蹟」のような飲食にまつわるエピソードが強調されるのは、それらが聖餐を象徴すると解釈されたためである。「パンを割く」というのは聖書に頻出する表現で、ひとつのパンをちぎって多くの人に分け、いっしょに食べることをいう。こうして食卓をともにすることは、信者どうしの結びつきを確認する兄弟の交わりを意味した。

パンとワインは、西洋ではもっとも基本的な食事である。日本のご飯と味噌汁に当たるといってよい。パンはすぐ乾燥するため、ワインとともに食するのが一般的であった。ワインも酒というよりは食事の基本要素であった。

ローマに住んでいたとき、所用でアパートの隣の部屋を訪ねたことがあった。そこには実直そうな老夫婦が住んでおり、彼らはちょうど夕食をとっていたのだが、テーブルの上にはワインの瓶とグラスとパンしか載っていなかった。夕食がパンとワインだけであるというのは少し驚きであったが、イタリアではいまだに一般的なのだろう。

レオナルドの作品では、キリストが両手で自分の肉と血を指し示しているのだが、画家はこの主題を、熱い人間のドラマとして表現する一方、それにふさわしい教義上の意味をも表現しているのである。

メインディッシュは何だったのか

「最後の晩餐」の絵は修道院の食堂の壁面に描かれることが多かった。レオナルドの壁画も、聖堂に隣接する修道院の食堂に描かれたものである。

キリストの生涯の一エピソードとして物語場面が表現されたものというより、ミサの起源としての意味を強調し、毎日食べるパンに与えられた神聖な意味を思い起こさせるためであった。修道士たちは食事のたびに、「最後の晩餐」の絵を見ながらうやうやしくパンをかみ締めていたのである。

西洋において食事に神聖な意味が付与されたのは、何よりも「最後の晩餐」、そしてそこから発生したミサのためであるといってよい。パンとワインというもっとも基本的な飲食物が、神の体と血であるというこの思想が、西洋の食事観を決定したといっても過言ではない。

とくに、パンは何よりも重要であった。「人はパンのみにて生くるものにあらず」とキリストは言ったが、パンは生きる糧、日常的な食料の代名詞であっただけでなく、「命のパン」であるキリスト自身を象徴していたのである。アウグスティヌスは、蒔かれ、実り、粉に挽《ひ》かれ、こねられ、焼かれるパン作りについて、キリスト教徒の誕生の比喩として述べている。

ただし、古代や中世初期のヨーロッパでは、パンとワインは地中海世界のローマ文化圏特有の食べ物であり、北方のゲルマン世界では、肉とエール（ホップを入れないどろりとしたビール）こそが主食であった。古代ギリシアでもローマでも、パンには文明の象徴としての役割が与えられており、それを知らないゲルマン人を野蛮であると見なしていた。

キリスト教がパンを聖体として称揚した背景には、古代地中海世界のこうした思想的伝統があったことは疑いない。キリスト教の普及とともに、パンとワインは地中海世界から北上してヨーロッパ中に浸透していったのである。

「最後の晩餐」の絵では、テーブルにパンとワイン以外置いていないものが圧倒的に多い。しかし、メインディッシュがあったとしたら何であったか。

レオナルドの絵ではどうなっているのだろうか。この壁画は、壁画に一般的なフレスコ技法ではなく、壁に直接テンペラ絵具で描いたため、完成から二十年もすると破損し始め、その後も顔料が剥落し、いくたびも補筆が加えられ、図様を判別するのが困難になってしまった。一九七九年から本格的な修復が始まり、画面を洗浄し、過去の加筆部分を除去し、近年完成した。剥落した部分は仕方のないものの、当初の鮮やかな色彩がよみがえり、テーブルの上の食物なども浮かび上がった。

以前はパンとワインの入ったコップ以外はほとんど見えず、過去に作られたこの絵の模写でも肉料理であったり魚料理であったりしたのだが、画面左には、魚がいくつも盛られた大皿があり、テーブルのあちこちに、魚の切り身にオレンジかレモンの薄切りが添えられた取り皿が置かれているのが見えるようになった。

初期キリスト教時代からビザンツにいたる「最後の晩餐」の図像を見ると、子羊と

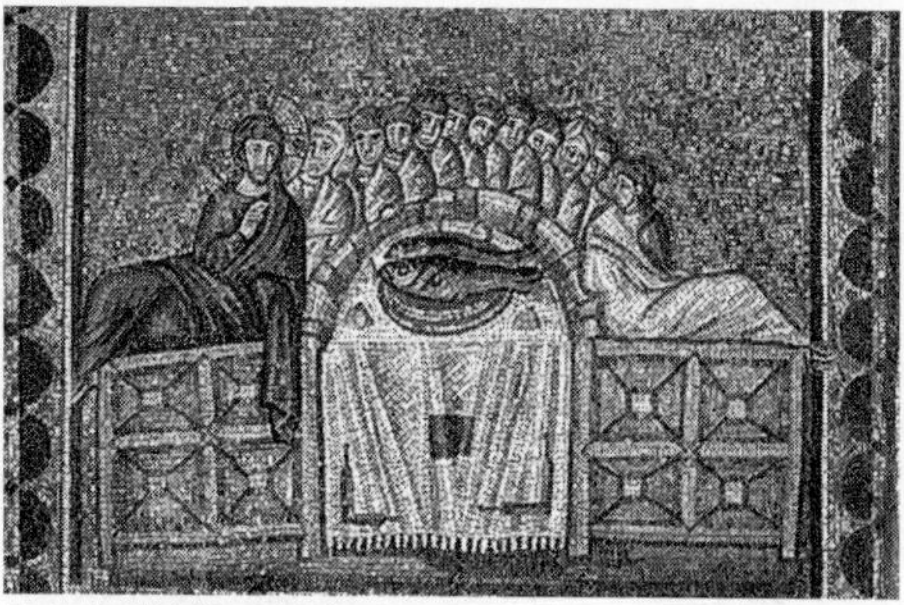

（図１）《最後の晩餐》ラヴェンナ、サンタポリナーレ・ヌオーヴォ聖堂、６世紀初頭

おぼしき骨付き肉の大皿がテーブルの中央に置かれていることもあるが、魚が置かれているもののほうが多い。古代のカタコンベの壁画は、「最後の晩餐」ばかりではなく、「愛餐図」や「天上の食事」であることが多いが、ほとんどの場合に魚の大皿が登場する。

こうしたカタコンベ壁画が中世における「最後の晩餐」の図像に発展したといえるので、魚の皿というモチーフもそのまま継承されたのだろう。六世紀初頭に制作されたラヴェンナのサンタポリナーレ・ヌオーヴォ聖堂のモザイク（図1）では、テーブルの大半を大きな皿が占め、その大きな皿からあふれんばかりの二匹の魚が載っている。古代ローマの禁教時代のキリスト教徒の間では、魚はキリストを示す暗号となっていた。ギリシア語で、「イエス・キリスト・神の・子・救い主」の頭文字をとると、魚（イクテュス）となるためである。キリストの象徴である魚は主の食卓にふさわしいと思われたのであろう。

また、キリスト教徒は、復活祭前の六週間の断食期間にあたる四旬節には肉食を断つことになっているが、やがて肉の代わりに魚を食すことが認められるようになった。後に見るように、肉は飽食、魚は禁欲を表すものとして対比されるようになり、魚は一種の精進料理としての地位を与えられたのである。このことも、最後の晩餐のメニューに魚がふさわしいと目される背景にあったのだろう。

最期に何を食べるか

キリストの一番弟子のペテロやその兄のアンデレなど、キリストの十二使徒のうち七人までが、キリストに召される前はガリラヤ湖で網を打つ漁師であった。豊富な魚の獲れるガリラヤ湖畔で活動したキリストとその弟子たちが、魚を常食していた「魚食の民」であったことはまちがいない。今でもかの地では、「ペテロの魚」と名づけられたガリラヤ湖で獲れる大ぶりの魚を食べている（ただし味は大味で日本人にとってはそれほどおいしくない）。

キリストは、パン五つと魚二匹を、説教を聞いていた五千人もの衆人の食物として十分な量に増やすという有名な「パンと魚の奇蹟」も行った。このときも最後の晩餐と同じように、キリストは、賛美の祈りを唱えてからパンを割いて弟子たちに渡している。

また、復活後、弟子たちの前に現れたキリストは、焼いた魚を渡されるとそれを弟子たちの前で食べ（ルカ24：42－43）、ガリラヤ湖で漁をしていた弟子たちの前に現れて朝食をすすめ、パンと魚をとって彼らに与えたという（ヨハネ21：13）。キリストと弟子たちにとって、パンと魚はいわば常食であったようだが、復活してからも食べたことからキリストは魚食を好んだと考えられよう。

しかもイエスは生前は、「大食漢で大酒飲み」（マタイ11：19）と言われていたらしいが、本田哲郎氏はこれを「食い意地が張った酒飲み」と解するのが正しいとしている。ギリシア語の表現から考えると、大食漢というよりは「いつもお腹をすかせ、ひもじい思いをして、何かしら食べ物を見つけたらつい手が出てしまう。そのように、食べ物に関して意地汚いイメージ」であり、大酒飲みというよりは「ただの酒飲み」であって、「底辺に生きる貧しい人たちの共通したイメージ」であるという。

つまり、イエスは、腹をすかせて食べ物に執着し、日常的に酒を好む日雇いの肉体労働者のようなタイプであったというのである。

そんな男が、翌日殺されるとわかっている最期の食事に、普段ほとんど食べることのないご馳走を食べるか、いつも食べていて慣れ親しんだものを食べるのか。ほとんどの場合、後者であろう。日本でもアメリカでも、死刑囚の処刑直前の食事には、囚人にリクエストさせたものを手配して提供することがあったというが、日本の場合、寿司など和食の定番が多く、アメリカではステーキが圧倒的に多いと読んだことがある。そう考えると、キリストが処刑前夜の晩餐に食べたものは、子羊ではなく魚であったと考えても不自然ではない。

ユダヤ教から決別したキリスト教にとって、「最後の晩餐」は、ユダヤの過越祭を継承するものであると同時に、それに新たな意味を与え、刷新するものであった。過越の食事の料理が子羊であるのに対して、最後の晩餐の料理を魚とすることによって、ユダヤ教と対比させ、ユダヤ教と異なるキリスト教の独自性を打ち出そうとしたと見ることもできよう。旧約聖書の肉に対して新約聖書の魚、と一概には言えないが、後に見るように西洋では肉はどちらかというと悪い意味で、魚はよい意味に結びつくことが多いのである。

そもそもキリスト自体が、洗礼者ヨハネが呼んだように「神の子羊」であり、自らが過越祭の子羊と同じように犠牲になったのである。最後の晩餐の食卓ではキリストはパンが自らの体であると宣言したため、パンのみが重要であって、メインディッシュは肉でも魚でも大差なかったというべきだろう。

食卓に子羊が載っているとすれば、それはキリストが食べるものというよりは、キリスト自身の犠牲という役割を暗示する象徴であると読むべきである。とはいえ、子羊ではなく鶏肉や子豚のような肉が描かれているものもあり、メインディッシュは図像上さして重要視されていなかったことがわかる。

西洋美術の読み方

大きな肉料理が卓上に載っている最後の晩餐の作例も豊富にある。

十一世紀後半に南イタリアのカプア近郊にあるサンタンジェロ・イン・フォルミス聖堂に描かれた壁画（図2）では、円卓の中心に大きな鶏のローストの皿があり、ユダがこれに手を伸ばしている。ユダが肉の皿に手を伸ばしている図像はひとつの伝統になっていくつも存在するが、肉の皿が裏切り者のユダにふさわしいと思われたからであろう。

（図２）《最後の晩餐》カプア、サンタンジェロ・イン・フォルミス聖堂、11 世紀後半

（図３）バッサーノ《最後の晩餐》ローマ、ボルゲーゼ美術館、1542 年

また、ボルゲーゼ美術館には、ヤコポ・バッサーノの手になる《最後の晩餐》（図3）があるが、キリストの前の皿には羊の頭が載っている。どのようにして食べるのかよくわからないが、羊の中でも頭の部分はごちそうであるらしい。しかも、中世では動物の頭は、宴席の長に供されるという習慣があった。目玉や脳みそが美味であるというが、日本人には想像しにくい。羊の脳のフライはローマ名物のユダヤ料理であり、一度食べたことがあるが、白子のような食感であるものの独特の臭いがあって好きになれなかった。

いずれにせよ、最後の晩餐を描いた絵画においては、聖なる食物であるパンのみが重要であって、肉料理は添え物にすぎないか、パンと対比されて貶《おとし》められている。パンさえ描かれていれば主皿は肉でも魚でもよかった。聖書を忠実に読む限り、実際の最後の晩餐では、過越の料理である子羊を食べたと考えるのが自然だが、それが美術に表現されたときには、今考えてきたようなさまざまな意味によって、子羊よりも魚のほうが多くなってしまったのである。西洋の美術は実際にあったであろうことを再現するものではなく、形に象徴や寓意を付与して、宗教的・教訓的なメッセージを発するものが多い。

西洋美術は一見本物らしく表現されているため、その点が見過ごされてしまうが、形や表現に込められた意味を読み解く必要があるのである。

1-2 レオナルド以降の《最後の晩餐》

表現の変化

レオナルドが描いた《最後の晩餐》は、「裏切りの告知」という人間臭いドラマに重点を置いていたが、この主題は聖餐式の起源として重要であったと述べた。ビザンツ美術では早くからこの主題は、キリストが使徒たちに聖体を与えている図像となっていたが、西欧ではレオナルドのように、「裏切りの告知」を強調したものが多かった。

しかし、十六世紀の宗教改革のとき、カトリックとプロテスタントで聖体の意義をめぐって論争が起こった。聖体たるパンは、カトリックでは、ミサにおいて司祭の聖別とともにキリストの体そのものに変化するという教義（全質変化、聖変化）を確立させたが、プロテスタントでは、宗派によってもちがうが、聖体を単なる象徴としてとらえる傾向にあった。

そこで、十六世紀後半から起こって、バロック美術を開花させる原動力となったカトリック改革（反宗教改革、対抗宗教改革）の時代においては、ミサの重要性を強調すべく、「最後の晩餐」の図が「聖餐式の制定」としてさかんに制作され、「使徒たちの聖体拝領」という図像が流行するようになった。また、プロテスタントはカトリックが行っていた秘蹟のうち、洗礼と聖体拝領は採用したが、それ以外の堅信、婚姻、叙階、告解、終油の秘蹟などは認めなかったため、カトリックは七つの秘蹟を普及させる必要に迫られ、美術にも表現させた。そのため、「最後の晩餐」も、キリスト伝や受難伝の一場面というより、もっとも重要な秘蹟の起源として表現されるようになったのである。

享楽的な最後の晩餐

一五九二年から九四年にかけてティントレットがヴェネツィアのサン・ジョルジョ・マッジョーレ聖堂のために描いた《最後の晩餐》（図4）では、キリストは立ち上がって使徒たちにパンを割いて与えている。テーブルの上には、ワインのフラスコとグラスのほか、肉料理のような皿、そしてケーキかパイのような皿と果物が見える。食卓

（図4）ティントレット《最後の晩餐》ヴェネツィア、サン・ジョルジョ・マッジョーレ聖堂、1592－94年

は画面手前から奥に向かって斜めに配置され、画面には使徒のほか多くの使用人が働くのが見える。天井のランプとキリストの頭から強い光が放たれて、空間を照らしている。

百年近く前のレオナルドの同主題作品が、穏やかな光に包まれ、調和と均衡に満ちた静穏な画面であったのに対し、ティントレットの作品は劇的な光と構図によって不安感を与えるほど動的である。カトリック改革は、見る者の知性や理性ではなく感情に直接うったえかける画像を奨励したが、ここでも観者を巻き込むようなドラマが提示されている。こうした傾向から十七世紀のバロック美術が生まれたのである。

ティントレットと同じヴェネツィアで活

（図5）ヴェロネーゼ《レヴィ家の饗宴》ヴェネツィア、アカデミア美術館、1573年

躍したパオロ・ヴェロネーゼは、当時のヴェネツィア貴族の享楽的な祝宴のような最後の晩餐を描いた。一五七三年に制作されたこの作品（図5）では、大勢の廷臣や兵士、道化師のいる広大な豪華な宴会場で、中央の柱の間にキリストと使徒たちの姿が見えるのみである。しかしこの作品は、「主の晩餐にふさわしからず」と、当時設置された異端審問所の咎《とが》めを受け、若干の描き直しと《レヴィ家の饗宴》とタイトルを変えることを余儀なくされた。

ヴェロネーゼは、《カナの婚礼》も、同じように豪華なヴェネツィア貴族の宴会として表現した。「カナの婚礼」とは、ガリラヤ地方のカナという町の婚礼の宴にキリスト、聖母マリア、弟子たちなどが招かれたとき、聖母からワインが足りなくなったと聞いたキリストは、六つの水がめの水をすべて極上のワインに変えたというエピソードである（ヨハネ2：1－11）。これ

（図6）バロッチ《使徒たちの聖体拝領》ローマ、サンタ・マリア・ソプラ・ミネルヴァ聖堂、1603－07年

は、キリストが公衆の面前で示した最初の奇蹟であるが、「パンと魚の奇蹟」のパンとともに、ワインは聖餐の秘蹟と結びつけられ、やはり修道院の食堂などによく描かれた。ヴェロネーゼにとっては、「最後の晩餐」であろうと「カナの婚礼」であろうと、宗教的な主題というものは、ヴェネツィア貴族の豪華な宴会を描く口実にすぎなかったように見える。

カトリック改革の精神をもっとも忠実に反映したとされるフェデリコ・バロッチの

（図７）プッサン《最後の晩餐》エディンバラ、スコットランド国立美術館、1644－48年

作品（図６）では、キリストが立ち上がって聖体の入った聖体盆を手にし、頭《こうべ》を垂れる使徒たちに順番に聖体を与えている。最後の晩餐というより、教会内で神父が行う聖餐式をキリストが行っているようなこうした図像は、ビザンツ美術では古くから一般的であったが、「最後の晩餐」というより、「使徒たちの聖体拝領」とよぶのが適している。ナポリの画家リベラがサン・マルティーノ修道院に描いた大作も有名である。

十七世紀フランス最大の画家プッサンはその生涯に二度、七秘蹟の連作を制作した。その中の一点《最後の晩餐》（図７）では、キリストと使徒たちがクッションで囲まれた食卓を中心に、古代ローマ風にソファに寝そべっている。古代ローマの宴会を再現した情景のようだが、キリストはバロッチの作品と同じく聖体盆を持ち、右手で胸を指して、聖体が自分の体であることを宣告している。

このように、レオナルド以降の最後の晩餐は、ミサ、あるいは秘蹟の起源としての意味が強調され、食事というより厳かな儀式の情景のようになってしまったのである。

1-3《エマオの晩餐》

三人だけの「最後の晩餐」

「最後の晩餐」の続編であり、またその意味を強調するエピソードに「エマオの晩餐」がある。

エルサレム近郊のエマオに向かう二人の弟子たちの前に、復活後のキリストが現れ、いろいろ話しながら同行したが、二人の弟子たちは主であると気づかずに、エマオで夕食をともにした。このときキリストが賛美の祈りを唱え、パンを割いて渡したときに突然二人はキリストであるとわかったが、その姿は見えなくなった。

ルカ伝にあるこの話はそれほど有名ではなく、十二世紀あたりまで表現されることはなかったが、「最後の晩餐」と同じく聖体拝領の秘蹟を表すものとして次第に流行した。キリストは「最後の晩餐」で宣告した聖体としてのパンという教義を、復活してからも再び示したという点で、この主題は「最後の晩餐」を補完し、それを凝縮したものと見なされた。

十三人が食卓につく「最後の晩餐」とちがって、「エマオの晩餐」は三人だけのこぢんまりした食事であり、「最後の晩餐」のコンパクト版といってよい。大画面でなくても表現できるため、個人向けの絵画にふさわしいテーマとしてとくにルネサンス以降流行した。

十六世紀にヴェネツィアでさかんに描かれたこの主題は、三人のほかに給仕や召使などが多く登場し、当時の貴族の食事風景を思わせるものであったのに対し、十七世紀には、復活したキリストを目の当たりにして驚く弟子のドラマチックな表現に焦点が当てられる。

カラヴァッジョ《エマオの晩餐》

その代表的な作品、カラヴァッジョが一六〇一年に描いた《エマオの晩餐》（口絵2）を詳しく見てみよう。キリストが、パンを割いて祝福したときに、キリストであることが判明した瞬間が捉えられている。画面右で大きく両手を広げる弟子と、手前左で椅子から立ち上がろうとする弟子、そして左にはキリストに気づかずに注視する給仕の男が立っている。

髭がない若者のようなキリストが目をひくが、これは「イエスは別の姿でご自身を現された」というマルコ伝（16：12）の記述によって説明される。つまり、当初は弟子たちが主であることを気づかなかったほど、通常のキリストの姿とは異なっていたのである。

強い光がキリストを浮かび上がらせ、人物や事物に強い明暗を作り出している。この作品の前に立ったときに感じる、引き込まれるような迫力と強い現実感は、カラヴァッジョ以前の宗教画には見られないものである。

また、この作品は、果物やローストチキンといった食物がきわめて写実的に描かれていることが目をひく。ここには劇的な明暗法と迫真的な細部描写のほかに、私が「突出効果」と名づけた技法が駆使されている。ひとつはテーブルの端にある果物籠が手前に落ちそうになっていることであり、驚いて立ち上がろうとする左の弟子の肘《ひじ》や両腕を広げる右の弟子の左手、さらにパンを祝福する中央のキリストの右手が短縮法で捉えられ、いずれも絵の表面を破って、絵を見る者（観者）の空間に侵入するような効果を与えている。

半身像の人物はほぼ等身大であり、ロンドンのナショナル・ギャラリーにあるこの画面の前に立つと、この夕食の席に参加しているようなイリュージョンをおぼえる。この作品は聖堂の広大な空間ではなく、ローマの貴族マッテイ家の邸宅の一室に飾るために制作されたため、画面の近くから鑑賞することが想定されていた。果物籠の置かれたテーブルの前には、観者が画中の食卓に臨席できるように、ほぼ一人分のスペースが空いている。そのとき観者はちょうどキリストと向かい合うような位置にいるのである。

籠に盛られた果物については、春に起きたはずの復活の場面に、季節はずれの秋の果物があると、すでに十七世紀の批評家ベッローリに批判されていた。画家は、単に入手できる果物を集めて写したのではない。美術史家は、卓上の静物に様々な象徴的意味を読み取ってきた。たとえば、林檎は原罪の象徴であるが、ザクロは復活を表すことから、この両者を対比させ、キリストの犠牲と復活が果物籠のうちに示されているとする説がある。

また、果物と祝福されたパンを「地上の食物と聖体」として対比させる説があるが、私はこの説を発展させて次のように解釈している。

こちらに落ちてきそうな果物籠は、カラヴァッジョの独立した静物画《果物籠》（後述、図44）と類似しているが、林檎には虫食いの痕がいくつも見られ、テーブルからはみ出た籠の位置的な不安定さとともにやがて朽ちて行く食物であることを物語っている。その背後には大きなローストチキンがあるが、これもやがては腐る地上の食べ物である。手前と画面右のパンは、キリストによって祝福されて割かれた中央のパンと対比されており、このテーブルにおいては、手前から奥に向かって肉から霊、滅びから永遠に向かっているようである。

このことはヨハネ伝の次の一節、「朽ちる食べ物のためではなく、いつまでもなくならないで、永遠の命にいたる食べ物のために働きなさい」（6：27）、そしてこれに続く「わたしが命のパンである」（6：35）、「わたしは、天から降って来た生きたパンである。このパンを食べるならば、その人は永遠に生きる。わたしが与えるパンとは、世を生かすためのわたしの肉のことである」（6：51）という聖句を思い起こさせる。

「天から降って来たパン」とは、旧約聖書（出エジプト記16章）にある「マナ」のことを指している。モーセに従ってエジプトを脱出し、荒れ野をさまよっていたイスラエル人たちが飢えに苦しんでいたとき、天からマナという食べ物が降ってきて、一同を救ったという。このマナこそが、キリストが自らをなぞらえた「天からのパン」であり、マナは聖餐の「予型」（旧約聖書の出来事を新約聖書の事件を予告するものとしてとらえること）であるとされた。しかし、食べても後には死んでしまう旧約聖書のマナよりも、永遠の命を得られる新約聖書の「天からのパン」のほうが優れていると考えられた。

カラヴァッジョの画面では、もっとも奥にいるキリストこそが「命のパン」であり、その前にある祝福されたパンはキリストの肉体の象徴としてこれに等しいもの、一方その手前にある鶏肉や果物は「朽ちる食べ物」となっているのである。また、よく見ると果物籠の影は魚の形になっている。前述のように、魚はキリストの象徴でもあった。朽ちる食べ物である果物が実は魚であることは、一見ただの若者だが実はキリストであることのアナロジーとなっていると見ることができる。

観者はこの現世の食べ物を前にしつつ、その向こうにある永遠に生きるための食べ物、つまり救済へと誘導されるのである。

1・4　日本の「最後の晩餐」

隠れキリシタンの晩餐

わが国では、庶民や貴人の生活風景を描いた中世の絵巻物の一部や、遊里や花見の宴をとらえた近世初期風俗画や江戸期の版本の挿絵のようなイメージのほかには、意外にも食事の情景を正面からとりあげた作品は見られない。もっとも静物画的な表現では、魚介類や野菜や果物の絵が見られた。

キリスト教は江戸時代に厳しく迫害されたために、西洋の影響を受けた図像は途絶えてしまったが、長崎県生月島《いきつきじま》に細々と伝えられてきた貴重な「隠れキリシタン」の「お掛け絵」には、例外的にそれが見られる。「お掛け絵」とは、「御前様」や「納戸神」ともよばれ、通常は納戸の櫃に隠されており、オラショの唱えられる儀式や四旬節などの祭日に密かに取り出されて膳や盆の上に祀られる画像である。過酷な弾圧を耐え抜き、現在までほぼ四百年にわたって祖先の信仰を守り通した隠れキリシタンたちが命がけで秘匿してきた聖像であり、生月島では今なお熱心な崇敬と呪術的信仰の対象となっている。それらの図像は、何度も破棄されて転写されるうちに、西洋の正統的

（図8）《ダンジク様》個人蔵

図像からかけ離れてしまっており、その主題すらたどれないものも多く、美術史的な研究はきわめて困難である。

その中でも、《ダンジク様》（図8）とよばれる図像は注目に値する。笹の生い茂る中で父母と息子が食卓を囲み、卓上の椀には山盛りになった飯が各々の分盛られている。

この図像については、羅竹（ダンジク）の中に逃げて潜んでいたが、幕吏に露見して殉教した伝説のキリシタン、弥市兵衛、マリア、ジュアンの家族を描いたものであるという伝承がある。とすれば、はかない運命の前に家族で食事をしている場面であろうか。中園成生氏の指摘するように、本来は聖家族の図像に由来するものであったのかもしれない。ただ、日本ではきわめて珍しい、食卓を囲む図像であるため、「エマオの晩餐」や「最後の晩餐」のようなキリスト教の伝統図像に由来する可能性も否定できないと思う。

田村宗立《接待図》

明治以降、西洋美術が流入すると、はじめて表立って食事の場面が表現されるようになった。ただし、それも決して多くはない。

そんな中の貴重な作例は、日本洋画の先駆者の一人で関西洋画壇の父、田村宗立の《接待図》(図9) とよばれる作品である。老人や子供がテーブルにつき、竹の皮につつまれたおにぎりをほおばり、湯気のあがる汁をすすっている。いかにも幸せそうな素朴な人々が並び、その満面に喜色があふれている。画面の左にはお盆に汁椀をもって運んでくる女がおり、その背後には米俵をかつぐ男がいる。そこには大きな鍋があって湯気が立ち昇っている。食料が豊富にあって、人々の喜びはそこに由来するのである。人々の背後に張ってある幔幕や、人々のみすぼらしい服装から、飢饉の際の炊き出しの光景のように見える。

（図９）田村宗立《接待図》個人蔵、1902年頃

星野桂三氏は、この作品を、明治三十五（一九〇二）年の第二回関西美術会に出品された《施糧》という作品に同定している。さらに星野氏は、中央の白髪の老人に西洋人のような面影があり、この横長の変形画面やテーブルの上の食べ物からも、「レオナルド・ダ・ヴィンチの〈最後の晩餐〉を意識したような画面構成である」と述べている。

たしかに、飢饉のときの窮民への炊き出し事業は明治以前から各地で見られたであろうが、それを絵に描くということはほとんどなかった。田村宗立が、施糧の光景を描くときに、西洋の「最後の晩餐」の図像を借用したのだろうか。

そうではなく、「最後の晩餐」を目にしたこの画家は、その主題がわからず、あるいは理解できず、似たような情景を描こうとしたときに、施糧という日本の風俗的な場面を当てはめたにちがいない。テーブルについている老若男女は、数えてみると「最後の晩餐」と同じくちょうど十三人である。すべて横並びのテーブルで真ん中に長老がいる構成は、「最後の晩餐」の図像抜きでは考えられないように思う。

西洋ではキリスト教信仰の根幹にあって厳粛な雰囲気をもつこの主題が、日本で換骨奪胎されて喜びに満ちた庶民の食事場面になっているというのは興味深い現象である。つまり、図像が伝播しながら、主題はまったく別物になるという美術史上よく見られる典型的な例である。《接待図》では、「最後の晩餐」には欠かせないパンは握り飯に、ワインは汁になっているのがおもしろい。

ただ、ここにいる人々は施しを受ける窮民であり、はからずも施しや慈善事業といったキリスト教の伝統的な主題に一致している。背中におぶった赤子に箸でつまんだものを与える母親は、和様化した慈愛の擬人像のようである。食事がもっとも喜ばしいのは、飢えに瀕したときであり、食事の愉悦を描くには貧民が食事をする情景を描くのがいちばん適しているというのは、東西でかわらないのである。ちなみに宗立は仏教とつながりのある画家であり、もともと真言宗の画僧大願のもとで修業し、後になっても油彩による仏画や僧の肖像を多く描いた。仏教的な慈善思想がキリスト教のそれと共鳴したのかもしれない。

レオナルド・ダ・ヴィンチについては、早くも明治十三(一八八〇)年に高橋由一が創刊した『臥遊席珍《がゆうせきちん》』に、ミケランジェロとともにその伝記が紹介され、《最後の晩餐》のイメージも明治三十五年までには紹介されていたにちがいない。

その高橋由一はわが国最大の洋画の先覚者だが、鮭をはじめ、豆腐やなまり節といった日常的な食材を堂々たる美術作品に昇華させたのであった。

第2章 よい食事と悪い食事

2-1 キリスト教と西洋美術

「食道楽」は淫欲の罪

カラヴァッジョの《エマオの晩餐》に描かれたリアルな食物には、前に見たようにキリスト教的な寓意がこめられていると考えられる。この例にかぎらず、西洋美術においては、おいしそうな食べ物の絵には、何かしらこうした意味が隠されていると見てよい。しかし、食べ物は基本的に精神に対する肉の領域に属するとされ、聖餐の食事以外は否定的な意味を与えられることが多かった。

「食物は腹のため、腹は食物のためにあるが、神はそのいずれをも滅ぼされる」（Iコリント6：13）ため、何を食べるか、食べ物がおいしいかどうかなどといったことに心を煩わせるのは無意味なことであった。「わたしたちを神のもとに導くのは、食物ではありません。食べないからといって、何かを失うわけではなく、食べたからといって、何かを得るわけではありません」（同8：8）。そしてパウロは、杯によってキリストの血にあずかり、割いたパンによってキリストの体にあずかることの重要性を説き、「あなたがたは食べるにしろ飲むにしろ、何をするにしても、すべて神の栄光を現すためにしなさい」（同10：31）と述べる。

西洋の中世においては、「食道楽」は淫欲の罪と結びつけられたし、修道士たちは最初のうち、肉食を禁じられ、魚、できれば野菜を食べるのがよいとされた。荒野で修行する隠修士たちは野生の植物や草を食べ、エデンの園の時代に近づこうとした。聖書にあるエデンの園では、人間が何をしなくとも、大地が糧を与えてくれたのである。

ゲルマン社会では、肉を大食するほうが勇者や権力者にふさわしい行為とされたのに対し、古代ローマでは、『サテュリコン』に出てくる有名な「トリマルキオの饗宴」のような飽食の例はあっても、知識人や貴族の間には節食や中庸をよしとする思想が強く、それがその後のキリスト教世界に継承されたようだ。

パウロはまた、「主の食卓と悪霊の食卓の両方につくことはできない」としているが、食べ物は、前に見てきた「命のパン」と「朽ちる食べ物」のように、よい意味と悪い意味に分かれることが多く、食事にも、よい食事と悪い食事があった。よい食べ物やよい食事というものは、おおむね「最後の晩餐」や「エマオの晩餐」と関連する、つまりミサと関係がある場合や、慈善行為に関する場合である。悪い食べ物や食事というものは、ほとんどはこれらと対比され、教訓や戒めのような意味をもっていた。

しかし、西洋における食べ物や食事の美術は、よい食事だけでなく悪い食事をさかんに表現してきたし、どちらかといえばこちらのほうに重点を置いてきたように見える。

やはり抹香《まっこう》くさいかしこまった食事より、ざっくばらんな無礼講の食事のほうが楽しいからであろうか。それとも、悪い食べ物だと言われるとつい興味をもってしまうからだろうか。最初に作られた人間であるアダムとイヴは、楽園にある「善悪を知る木」の実を食べてはいけないと神に厳しく言われていたからこそ、悪魔のささやきに耳を貸してしまったのではなかったか。

決して、おいしそうだからとか、食欲にかられてのことではない。この些細なつまみ食いが、初めての決定的な罪となってしまい、以後、人類のすべてを罪の状態に突き落としてしまったとすれば、食べ物とは実に恐ろしいものである。それほど食べ物の誘惑は抗しがたいものであり、注意しなければならない危険な対象であると考えられたのである。後に述べるように、悪い食事の代表である宴会にも本来は神聖な意味があったのだが、キリスト教はそれを否定してしまったのである。

キリスト教思想の特異性

画面の片隅に描かれた林檎や果物も、原罪という意味を持つようになった。たとえば、十五世紀のヤン・ファン・エイクの有名な《アルノルフィニ夫妻像》で、窓際にさりげなく置かれた果物も原罪を表し、モデルの夫婦の罪を示している。そして奥の鏡の縁にはキリストの受難伝が刻まれており、夫婦がキリストの犠牲にあずかって救済されることも示されるのである。ヴィーナスが持っているリンゴも、異教の愛欲の女神の持物であるということとあいまって、原罪と結びつくことが多かった。

キリスト教の教義では、アダムとイヴが禁断の木の実を食べたことから、すべての人間が背負うことになった原罪から人間を救うために、キリストが地上に遣わされ、犠牲になったことになっている。それ以来人間はこの犠牲を銘記して、救済されるために、キリストの象徴である聖体のパンを食べるという儀式を行うことになったのである。

つまり、キリスト教というものは、罪と救済のいずれもが食という行為に関連しているという特異な宗教なのである。西洋美術において、食事がもっとも重要な主題になったのはそのためであった。食事というものが、単にもっとも身近で毎日繰り返される根源的な営みであったからというだけではない。前述のように、わが国では明治になるまで、食事を描いた単独の作品はほとんどなかった。美術のあり方のちがいのためでもあるが、美術の歴史において、もっとも頻繁に食事を表現してきたのは西洋であることはまちがいない。その背景には以上のようなキリスト教の思想があると考えられるのである。キリスト教に裏打ちされた食事の美術は、単なる教義の図解にとどまらず、その時代や地域、注文者・作者・観者の意図や個性や欲望に応じて豊かに変奏しつつ、多彩な成果を生んでいったのである。

では、模範的なよい食事と否定的な悪い食事とが具体的にどう表現され、そこにどんな意味があったのか、具体的に見ていくことにしよう。

2-2 聖人の食事

パンと水だけ

西洋美術史上、もっとも模範的な食事の絵は、ダニエーレ・クレスピが描いた《聖カルロの食事》（口絵3）という作品であろう。十七世紀初頭にミラノで活躍したこの画家はイタリアでもそれほど知られていないが、この絵だけは非常に有名である。

ひとりの聖職者がハンカチで目頭を押さえて本を読みながらパンを食べている。テーブルクロスもない食卓の上には水のはいったフラスコとグラスがあるだけである。画面右の台には布が掛けられており、その上には大きな十字架が立て掛けられ、司教の帽子が置かれている。画面奥では、この食事の情景を見て、その食事の様子に驚いている二人の男の姿が見える。

カルロ・ボロメオは、名門貴族の家に生まれ、一五六四年から八四年までミラノの大司教を務めた。カトリック改革の旗手として知られ、ミラノをヨーロッパ有数の宗教都市に変貌させた人物である。カトリック改革の基本理念を打ち出したトレント公会議にも参加したカルロは、このイタリア最大の司教区において精力的にカトリック改革の精神を具現化し、教皇庁からもスペインからも距離を置いて意欲的に教会改革を断行した。

彼は司教区内をつぶさに巡視する一方、一五七六年のペストの際は多くの貴族のように避難したりせずに、先頭に立って自ら病人の救済に当たり、民衆を大いに勇気づけた。

宮殿で贅沢三昧に育てられたにもかかわらず、常に粗衣粗食に甘んじ、衣も家具も売り払い、壁掛けすら取り外させ、所領をも売却して貧者や孤児、病人たちに施したという。彼は後世になってますます崇敬を集め、早くも一六一〇年には列聖され、四世紀の聖アンブロシウスとともに今でもミラノ人の精神的支柱となっている。

この聖人は、ミラノをはじめとしてイタリアのバロック美術の主人公として数々の作品に登場するが、ダニエーレ・クレスピが一六二八年頃に制作したこの作品は、「貧困と悔悛の友」といわれたこの聖人のイメージをよく伝えている。

聖人の神々しさや英雄性はまったく見られず、孤独な聖職者の厳粛で禁欲的な姿が印象づけられる。パンと水だけの質素な食事をとりながら、本を読み、そこに書かれたキリストの受難を思って涙を流す。いかにも消化に悪そうな食事ではあるが、この姿勢こそキリスト者の食事のあるべき姿にほかならなかった。罪を悔い改めるために肉もワインもとらず、貧民と同じ食事をとるのである。

日々の食事は常に「最後の晩餐」

イエズス会の創始者イグナティウス・デ・ロヨラが著した『霊操』には次のような

一節がある。「食事をする間、われわれの主キリストが使徒たちと共に食事をされているのを見る。主がどのように飲み、どのように御覧になり、どのように話されたかを考察し、主に倣うように努めることである」(門脇佳吉訳)。

つまり、キリスト者たるもの、日々の食事というものは常に「最後の晩餐」の繰り返しでなければならないというのである。

前章で、修道院の食堂の壁面に「最後の晩餐」の絵が見られることが多いと書いたが、修道士たちは画像によって容易に最後の晩餐を思い浮かべることができ、自分たちの食事も常に最後の晩餐の延長線上にあるということを認識させる効果があったのである。そして、毎回の食事もキリストとともにいただくという意識を抱くことが肝要であった。

聖人が読んでいるのは聖書ではなく、イエズス会の『霊操』そのものかもしれない。『霊操』は、霊的生活の手引きとしてまとめられ、黙想や観想などの祈りの仕方や方法を説いた実践的な書物である。イエズス会内部だけでなく、十六世紀後半以降、西洋で広く読まれ、実践されて、信仰生活に大きな影響を及ぼしてきた。

『霊操』によれば、食事中にそれ以外のことも考察してよいものの、それは「聖人の生涯とか、ある敬虔な観想とか、また自分がしなければならない霊的な勤めなど」だけであり、「何よりも警戒すべきことは、食事中に心がいま食している物に完全に奪われてしまうことであり、また食欲にかられて急いで食べることである」。食物を喜んで味わうことすらいけないというのである。アウグスティヌスにいたっては、『告白』の中で、かつて食事のときにほんのささやかな喜びを覚えたことについて厳しく自分を責めているほどである。

その意味では、この絵の食事の情景はキリスト者の食事の模範であり、鑑《かがみ》なのである。パン以外には肉も魚もない。本当の信者にとってはそれで十分なのである。

この絵には、日常的な食事さえも神を瞑想する重要な契機とすべきだという厳しい宗教観が顕著に表れている。そして、西洋においては、あるべき食事は「最後の晩餐」につながっているということを示している。「最後の晩餐」や「エマオの晩餐」といった宗教主題を直接表現したものでなくとも、食事の情景のうちにそれらの主題が暗示されていることは多い。「よき食事」とは、このように宗教色が強いものであり、美術史の上でもひとつの系譜を形作っている。

食前の祈り

誰でも一度くらいクリスチャンの人が食前に短く祈るのを見たことがあるだろう。キリスト者は日々の食事の前に、食事の恵みを神に感謝する習慣をもっている。カトリックもプロテスタントも唱えるキリスト教の基本的な祈りである「主の祈り」（マタイ6：9－13）の中にも、「われらの日用の糧を今日も与えたまえ」という一節があるが、この願いに対応して、与えられた糧に対して感謝するのである。目の前にある食事にとびつくのではなく、それを前にしてしばし瞑目して手を合わせる、それはキリスト者にふさわしい美しい姿であり、とくにプロテスタントの国でさかんに描かれた。

カトリックが教会でのミサを重視したのに対し、プロテスタントは個人の信仰を重視する傾向にあった。ミサ、あるいは聖餐式も、カトリックのように毎日ではなく、週か月に一度くらいである。食事においては、聖餐式になぞらえてキリストの受難を思い浮かべるというよりもむしろ、日々の糧を与えてくださる神への感謝の気持ちを重視したのである。わが国で、食事の前後に「いただきます」「ごちそうさまでした」と手を合わせる習慣も、同じような食物の恵みへの感謝の念の表れであると見てよい

（図10）マース《祈る老婆》アムステルダム国立美術館、1656年

（図11）コルネリス・ベハ《食前の祈り》アムステルダム国立美術館、1663年

だろう。

パウロは、食事も断食も主に感謝するためのものだと述べている。「食べる人は、主のために食べています。なぜなら、神に感謝しているからです。食べない人も、主のために食べないのであって、神に感謝しているのです」（ローマ14：6）。

食前の祈りにはまた、これから食べ、飲もうとする物が腐っていたり毒が入っていたりしないようにという願いもこめられていた。今日と違って食べ物は腐敗しやすく、一歩間違えれば死にいたる危険をはらんでいたからである。

風俗画を専門としたニコラス・マースの《祈る老婆》（図10）は、老婆が食事を前にして一心に祈る姿をとらえている。

（図13）シャルダン《食前の祈り》サンクトペテルブルク、エルミタージュ美術館、1744年

（図12）ヤン・ステーン《食前の祈り》レスターシャー、ビーバー城、1660年頃

一人暮らしでも比較的裕福らしく、テーブルにはパンのほか、鮭の切り身、チーズ、バター、ソースの壷などが並べられている。画面右の手前では猫が食べ物を狙ってテーブルクロスを引っ張っているが、その傍らにはナイフが置かれ、猫に向かって突き出ている。祈る老婆の表す信仰に対して、猫がそれを妨害する悪徳を表しているのだろう。

同じ時代のオランダの画家コルネリス・ベハの描いた《食前の祈り》(図11)は、雑然とした室内で夫婦が小さな食卓をかこんで食前の祈りをしている。スープの皿の後ろにチーズらしき塊と黒パンが見える。マースの老婆よりも貧しげな食事であるが、質素な恵みにも感謝の祈りを

（図 14）林竹治郎《朝の祈り》札幌、北海道立近代美術館、1906 年

欠かさない庶民の素朴な信仰心が表されている。

食前の祈りは、早いうちに家庭でしつけられるべき道徳であった。ヤン・ステーンの《食前の祈り》（図12）では、母親らしき年配の女性が幼女に祈りの仕方を教えている。料理に目が釘付けになっている父親も、おざなりながら祈りのために両手を組んでいる。

シャルダンの名作《食前の祈り》（図13）では、スープを運んできた母親が毅然とした表情を向けて、幼女がちゃんとお祈りをするのを見届けている。すでにお祈りを終えた姉もじっと妹を見つめている。子供が食前の祈りをちゃんと行うことはよき教育の成果であり、ほほえましくも好ましい主題として受容されたのである。

明治になってわが国にキリスト教が普及する

とともに、こうした習慣も移入された。北海道における近代美術の父、林竹治郎が明治三十九（一九〇六）年の第一回文展に出品した《朝の祈り》（図14）では、大きなちゃぶ台を囲んで母親と三人の子供と一人の少年が一心に祈っている。

食事の前だろうか、テーブルには小さなスプーンと茶碗以外は、少年が両手を置いている大きな聖書しか載っていない。一家がそろって食事するためのちゃぶ台も明治中期から昭和初期にかけて普及したものであった。

この絵は、開拓地でのプロテスタントの一家の結束と信仰生活の中心に、テーブルを囲む食事があったことを示している。

2-3　慈善の食事

大いなる美徳

自分が食べることにはこのように禁欲的なキリスト教であったが、人に食べ物を与えることは大いなる美徳であった。そもそもキリストにも、弱者に食べさせることを

（図15）ロット《聖ブリギッタの施し》トレスコーレ、スアルディ礼拝堂、1524年

奨励するつぎのような逆説的な言葉がある。「昼食や夕食の会を催すときには、友人も、兄弟も、親類も、近所の金持ちも呼んではならない。その人たちも、あなたを招いてお返しをするかも知れないからである。宴会を催すときには、むしろ、貧しい人、体の不自由な人、目の見えない人を招きなさい。そうすれば、その人たちはお返しができないから、あなたは幸いだ。正しい者たちが復活するとき、あなたは報われる」（ルカ14：12－14）。これは後に見る、「金持ちとラザロ」の話と同じく、生前の慈善行為が死後報われるという教えである。

慈善行為の主題は、とくにカトリック改革後の十六世紀後半から十七世紀にかけて流行した。カトリックは古来、慈善活動を重視しており、教会や修道院では、貧民救

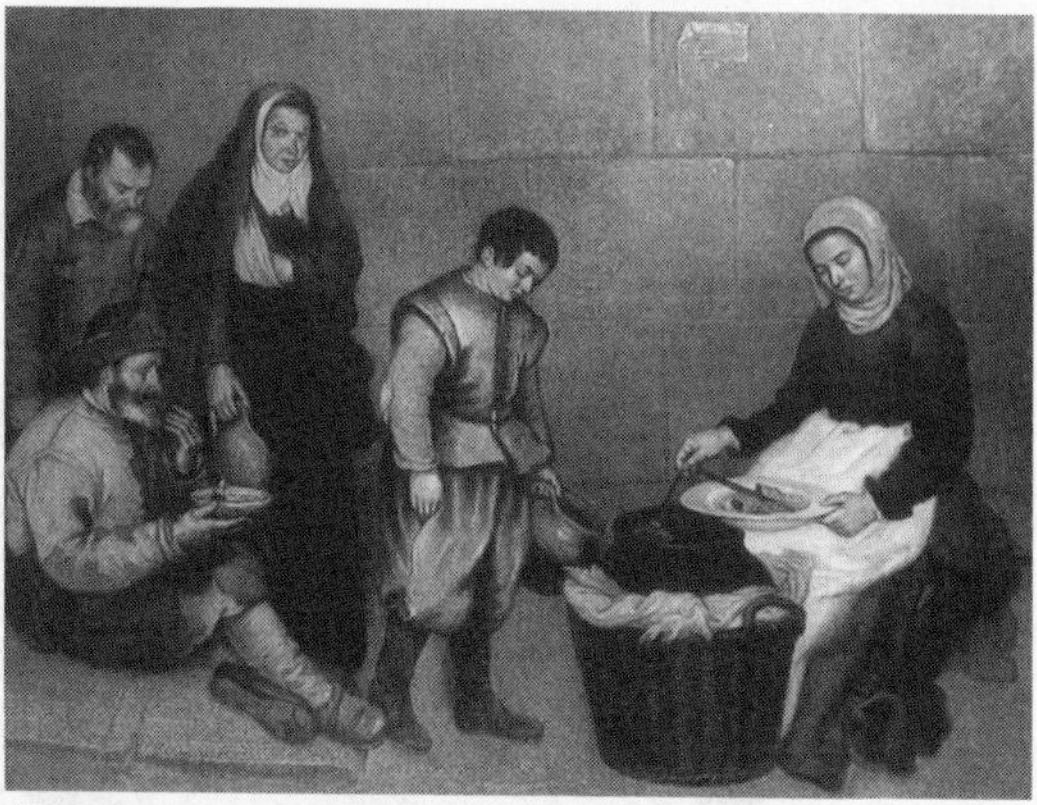

（図16）伝アントニオ・プーガ《貧民の食事》プエルトリコ、ポンセ美術館、1630－40年

済を活動の一部とし、門前で救貧活動を行っていた。今でも釜ヶ崎や山谷《さんや》で炊き出しなどの活動をもっともさかんに行っているのは、カトリック系の団体である。

イタリアでも、日曜日には公園で修道女が貧者に食料を配っていることがある。私もかつてローマの公園でこうした光景を目にし、何を食べさせてくれるのか好奇心がそそられたのと、長い貧乏旅行で資金も尽きてひもじかったこともあり、ボロをまとったホームレス風の人たちの列に並んだことがある。

修道女は、私のような薄汚い怪しげな東洋人にも大きなパンを丁寧に渡してくれた。それは、冷たくて脂身が多い硬い大きな豚肉がはさんであるもので、正直

（図17）ティントレット《最後の晩餐》ヴェネツィア、スクオーラ・ディ・サン・ロッコ、1578－81年

言ってうまくはなかったが、かなりのボリュームがあって満腹になった。何よりもカトリックの真髄にふれた気がしてうれしく、このときの恩は忘れられない。

十六世紀、ロレンツォ・ロットはベルガモ郊外の小さな礼拝堂に聖女伝の壁画を描いたが、その中に聖女ブリギッタが貧者にパンとミルクを与える場面がある（図15）。聖女の前にはパンが山盛りになった籠が並べられ、手にした桶からミルクを貧者の差し出す壷に注いでいる。このような光景は当時の田舎で実際に見られたものだろう。十七世紀初頭にスペインのアントニオ・プーガが描いたとされる《貧民の食事》（図16）では、都市における炊き出しの光景がきわめてリアルに表現されている。

「最後の晩餐」の主題にも、こうした慈善の意味が付与されることがあった。ティントレットの別の《最後の晩餐》（図17）では、使徒たちのいるテーブルの手前に乞食のような男女が座っており、そのかたわらにパンと水が置いてある。この絵はヴェネツィアのサン・ロッコ同信会（俗人の信心団体）の壁画として描かれたものだが、その同信会の活動には貧者への施しがあった。

十六世紀のヴェネツィアには、こうした慈善団体が多数組織され、救貧院が整備されていた。同じ食にまつわる「最後の晩餐」の中に食べ物を与えられた乞食の姿を登場させることによって、こうした慈善活動が示唆されているのである。

「聖グレゴリウスの食事」

聖人伝のエピソードとして、慈善行為が表現されることも多かった。たとえば、トゥールの聖マルティヌスは、ある冬の日、裸でこごえる乞食に自分のマントを半分に切り裂いて与えたところ、その晩、キリストが彼の与えたマントを着てやってくる夢を見たという話である。

(図 18) ヴィヴィアーニ《聖グレゴリウスの食事》ローマ、サン・グレゴリオ・マーニョ聖堂サンタ・バルバラ礼拝堂、1602 年

「聖グレゴリウスの食事」という話もそんな主題のひとつである。六世紀の傑出した教皇である大グレゴリウスは、最後の晩餐にちなんで毎日十二人の貧しい巡礼者を招いて夕食を施していたが、あるとき十三人目の男が食卓に座っており、やがてキリスト自身であることが明らかになったという。このときのキリストは巡礼者や天使の姿で表現されることが多い。

ローマのサン・グレゴリオ・マーニョ聖堂に付属する三つの礼拝堂のひとつ、サンタ・バルバラ礼拝堂は実際にこの奇蹟が起こったという空間である。部屋の奥には聖グレゴリウスの大理石像が設置され、側壁にはアントニオ・ヴィヴィアーニによって《聖グレゴリウスの食事》（図18）が描かれている。部屋の中央には、十二人の貧者が招かれて食事をしたという大きな大理石のテーブルが置かれている。この部屋を訪れる者は、グレゴリウスの食事におけるキリストの顕現を、まさにそれが起こった空間で追体験でき、さらに過ぎ去った歴史的事件としてだけではなく、自分の眼前で今まさに起こっている奇蹟として受け止めることができたのである。

聖マルティヌスや聖グレゴリウスが施しをした貧者が、ともにキリストであったという物語は、最後の審判のときのキリストの言葉、「はっきり言っておく。わたしの兄弟であるこの最も小さい者の一人にしたのは、私にしてくれたことなのである」（マタイ25：40）に基づくものである。キリストはくりかえし貧者への施しを説いており、貧者はキリスト自身だと言っている。貧者にする慈善は、キリストにしたことと同じことであった。

スケドーニ《慈愛》

十七世紀のスペインで人気を博した画家ムリリョは、聖人の施しの絵に、当時の貧

（図19）ムリリョ《貧民に食事を与えるアルカラの聖ディエゴ》マドリード、サン・フェルナンド王立美術アカデミー、1645－46年

民や食事を克明に表現している。

一六四五年から四六年に制作された《貧民に食事を与えるアルカラの聖ディエゴ》（図19）では、ひざまずいて祈る聖人の前に大きな鍋があり、そこに子供や足の悪い浮浪者、幼児を抱く寡婦や老人などが集まってきている。今日と同じ炊き出しの情景であると見てよいだろう。

皿を差し出し、また黙って配膳されるのを待つ貧民たちの姿の表現には、侮蔑的な視点はなく、それぞれ貧しくとも尊厳をもった個人として描かれている。聖人の模範的行為を表現するために、施しを必要としていた当時の貧民の姿を正確に再現しているのである。

聖人ではなく、民衆の慈善行為を描いた珍しい作品に、十七世紀初頭にパルマで活躍したバルトロメオ・スケドーニによる《慈愛》（図20）がある。

（図20）スケドーニ《慈愛》ナポリ、カポディモンテ美術館、1611年

ぼろをまとった裸足の兄弟が、女からパンを恵んでもらっている。杖を持つ兄のほうは盲目で、空虚な目をこちらに向けている。画面右下には、パンを恵んだ母親にも兄弟にも無関心な子供が立っている。この母子も決して裕福な階層ではなく、やはり裸足である。母親は慈愛の擬人像であると見ることもできるが、庶民どうしの小さな慈愛がこの絵のテーマであろう。それ

(図21) トデスキーニ《農民の昼食》フィレンツェ、個人蔵、1725－30年

があたかも英雄的行為であるかのように、舞台のスポットライトのような光によって照らされている。ひとつのパンによってこの兄弟はどのくらい助けられたことだろう。今は無関心な右の子供も、やがてパンを恵み、あるいは施される者となるであろう。

十八世紀初頭、北イタリアのロンバルディア地方では、貧者の絵が流行した。ジャコモ・チェルーティは、ぼろをまとった浮浪者、貧しい行商の少年、お針子や皿洗い女といった社会の底辺に生きる人たちを繰り返し描いた。それらは、こうした絵を見る富裕層にキリスト教的な慈善を促すものであったろう。

チェルーティと同じくロンバルディア地方で貧民の絵を描いたオーストリア出身のトデスキーニは、若い農民夫婦の食卓に足の悪い少年が来て物乞いをする情景を描いている(図21)。しかし夫婦は少年の必死の願いに耳を貸す様子もなく、ひたすら自分たちの食事を楽しんでおり、一種の反面教師として提示されている。

このように、西洋美術における食事は、聖餐につながるだけでなく、慈善行為の主題としても神聖な意味を持っていたのである。

2-4 宴会と西洋美術

さかんに描かれた「宴会」

西洋美術においては、各時代を通じて宴会の情景が頻繁に表現されてきた。キリスト教が広まる以前の西洋では元来、神にささげた肉を共食し、地中海世界ではワイン、北欧世界ではエール(ビール)が飲まれるという祭事があった。

中世の封建社会でも、政務や儀礼、社交やもてなし、主従関係などの面において宴

（図22）ランブール兄弟《ベリー公のいとも華麗なる時祷書》シャンティー、コンデ美術館、1413－16年

会が重要な役割を演じていた。

十五世紀初頭、ランブール兄弟が描いた有名な《ベリー公のいとも華麗なる時祷書》（図22）の一月の場面には、新年の豪華な宴会の様子が描かれている。画面左には、金の食器が並べられた食器棚があるが、豪華な食器とともに、フランス王の兄弟であった公爵の富を示している。宴会は宮廷のヒエラルキーを視覚化する政治的な場であった。君主はこうした宴会を催すたびに、権力を誇示し、家臣との主従関係を確認し、強化したのである。

宴会は本来、神に捧げた飲食物をともに食べることによって神と人、共同体の結束を強化する儀礼（供犠の宴）であったが、次第に独立して世俗化していったものである。

それは、厳粛と狂騒、浪費や贈与などをともなった非日常的な世界であった。また、多くの民族社会では（イスラム教やヒンドゥー教といった例外はあるが）、酒が神々と人々をつなぎ、ハレ（非日常）の世界を作ってきた。日本の本来の宴会も、神人共食の直会（礼講）が時間とともに饗宴（無礼講）に移行するものが多いようである。

宴会では、しばしば既成の社会秩序が否定され、価値の転倒や欲望の解放が起こった。古代ローマの農耕祭儀であったサトゥルヌス祭（サトゥルナリア）では自由な民と奴隷との区別が取り払われ、性の解放と暴飲暴食、酒池肉林の乱痴気騒ぎが行われた。有名なヴェネツィアのカーニヴァルのように、個人が別の人物に変身するために仮面や変装をすることもあった。そもそもカーニヴァル（謝肉祭）とは、古代のサトゥルヌス祭がキリスト教のもとで変容したものである。

神話や異教の主題でも宴会はしばしば表現され、ティツィアーノ、ルーベンス、プッサンといった画家たちはバッカス祭（バッカナーリア）を描いている。これは、酒神バッカスの信仰の中心地アンドロス島で信女バッカントや牧神サテュロスたちが痛飲し乱舞する狂乱の祭祀（オルギア）であるが、理想的な乱痴気騒ぎを表現したものであった。

キリスト教の聖餐は、こうした伝統的な神事を新たな意味によって焼き直したものと見ることができよう。つまり、一見、悪しき食事の代表である宴会も、もとは聖餐

（図 23）ボッス《七つの大罪》部分「大食」マドリード、プラド美術館、1485 年頃

と同じ祭祀に由来するものであったのである。

しかし、キリスト教的な倫理観が浸透すると、神のことを考え、祈りとともにパンを少しずついただく「よき食事」に対して、痛飲して酩酊する宴会は「悪しき食事」となって、戒められるべきものとされてしまった。前にも述べたように、大食や貪食を勇壮として称揚するゲルマン社会に対して、節食を賛美する古代ローマの価値観が、そこに反映されているのかもしれない。

パウロは、「さあ、食べたり飲んだりしようではないか。どうせ明日は死ぬ身ではないか」という考えを、死後の復活のことをわきまえない浅はかな態度として戒めている（Iコリント15：32）。さらに、「神の国を受け継ぐことができない者」として、姦通する者や偶像崇拝者、男色家、泥棒などと並んで「酒におぼれる者」を挙げている（同6：9－10）。

「大食」の中には、過食と酩酊の両方の意味があったのだが、中世ではとくに酩酊のほうが戒められていた。下層の民衆たちは、過食をしたくともその機会がほとんどなかったためである。しかし、宴会における酩酊が、団体帰属意識を高揚させる機能をもっていたのもたしかであり、簡単になくなるはずはなかった。日本でも、歓迎会、送別会、忘年会、新年会などと節目ごとの宴会は組織の維持と構成員の親睦に欠かせないものとして定着している。

中世の教会によって諸悪の根源とされた「七つの大罪」は、「傲慢」「貪欲」「淫欲」「憤怒」「大食」「嫉妬」「怠惰」であり、大食は明白な悪徳であった。これらの場面をひとつずつ描いたヒエロニムス・ボッスの円形の絵《七つの大罪》のように、大食の情景は他の悪徳とともに連作で表現される場合があった。ボッスの絵では、太った男が手羽のようなものをかじり、さらにそこに女が肉を運んでくる場面となっている（図23）。傍らでは対照的にやせた男が甕《かめ》から水か酒を飲んでいる。このように食物を口に入れている瞬間を描いた情景は、西洋美術史上きわめてめずらしい。

「放蕩息子」

宴会の登場する主題のうちもっとも多いのは、聖書のエピソードである「放蕩息子」の場面である。ルカ伝の中でキリストが語った譬《たと》え話のひとつで、ある人物がその財産を二人の息子に分けることにした。弟のほうは自分の分をもらうと、家業を手伝う兄を尻目に父のもとを去り、放蕩三昧の生活をして瞬く間に使い果たしてしまった。貧困の末についに豚の餌まで食べたいと思うような境遇に落ち、自分の罪を悔いておそるおそる家に帰ると、父は大喜びで息子を迎え入れ、上等の服を着せ、太った子牛を屠《ほふ》って宴会を開いた。腹のおさまらない兄に向かって父は、「死んでいたのが生き返り、いなくなったのが見つかったのだ」と諭した（15：11－32）。

これは、罪を犯した人間でも神は赦すという、神の愛の寛大さを示す譬えである。この物語は単独の場面でも連作としても表現されてきた。そのうち、物語のクライマックスというべき「放蕩息子の帰還」が多いのは当然だが、放蕩の情景がそれ以上に頻繁に表現された。多くの場合、息子の宴席には女性がはべっており、「娼家の放蕩息子」とよばれる。とくに十六世紀のネーデルラントで好まれ、それは大食や浪費といった悪徳に加えて淫蕩《いんとう》（色欲）を表すようなエロティックなものであった。

（図24）ヘメッセン《放蕩息子》ブリュッセル王立美術館、1536年

この物語を演劇にしたものが中世に生まれ、宗教改革期に人気を博したが、絵画はこうした放蕩息子劇の舞台をかなり反映していると思われる。こうした演劇では、放蕩息子は、娼家で酒や女やスリや博打によって有り金を全部むしりとられ、最後は身ぐるみはがれてたたき出されるという結末が待っており、浮かれさわぐ若者への教訓がこめられていた。

ヤン・ファン・ヘメッセンの作品（図24）はその典型であり、着飾った男が二人の娼婦に取り囲まれ、楽師や博打打ちとともに女衒《ぜげん》、つまりとりもち女が画面の端で男に向かって鋭い目を光らせている。若者以外の人物は七人いるが、遊女は淫蕩、老婆は貪欲といったようにそれぞれが「七つの大罪」を象徴するという見方もある。背景には、右から、金を巻き上げられて放逐される放蕩息子、父の家での宴会、豚の群れの中で回心する放蕩息子の情景が小さく描かれている。これがなければ単なるどんちゃん騒ぎにしか見えない。「放蕩息子」の一場面というのは口実にすぎず、酒に女のいるにぎやかな宴席の絵を制作し、それを受容するための方便であった。父のもとに帰ってからの豪華な宴会のほうがほとんど表現されないのは、それが悔悛と感謝に満ちたものであり、乱れたところがなさそうなためであろう。家やら親やらのしがらみを忘れた、悪と色の誘惑に満ちた背徳的な情景のほうが魅力的であるのは当然である。もちろん、酒や女の誘惑は危険だから警戒しろという教訓として制作されたと見ることもできるが、やはり、こういう情景の絵自体が魅力に満ちたものであったために人気を博したのであろう。

2-5 乱痴気騒ぎ

「陽気な仲間」

この放蕩息子の放蕩場面から徐々に背景の諸場面が消え、十七世紀のネーデルラント（カトリック圏のフランドルとプロテスタント圏のオランダに分かれる）では、単なる宴会の情景が流行するようになる。それらは「陽気な仲間」というタイトルでよばれ、農民や市民が羽目をはずして飲み、歌い、騒ぐ様子が生き生きと描かれたものである。オランダではこうした世俗ジャンルが発展し、市民や農民のさまざまな生活風景が描かれたが、その代表的な画家がヤン・ステーンである。ステーンにも「放蕩息子」を描いた作品があるが、ほとんどはこうした宗教性を持たない現実的な風俗画である。

この画家は、画家だけでは経済的に安定しないため宿屋を営んでおり、経営する宿の宴会や騒ぎを観察して描いていた。彼の描く風俗画の多くは、居酒屋や宿屋での乱痴気騒ぎであり、だらしなく散らかった家庭のことを指す「ヤン・ステーン的家事」という成句ができたほどである。陽気に歌い騒ぐ男女に混じって、画家自身もしばしば姿を現している。

一方、カトリックのまま残ったフランドル（南ネーデルラント、後のベルギー）では、大工房を構えた巨匠ルーベンスが圧倒的な影響力をもって活躍していたが、その影響下から優れた画家が育っていた。

その一人、ヤーコプ・ヨルダーンスはルーベンス作品に見られる高揚した生命力をさらに発展させ、農民が登場する風俗画を得意とした。歴史画や寓意画においても、ニンフやサテュロスが乱舞する祝祭的な情景を粗野なまでに力強く表現した。彼がもっとも得意とし、人気を博したのは、農民や庶民の乱痴気騒ぎの情景だが、横が三メートルもある歴史画のような大画面にこのような世俗の主題を描いたことが注目される。

ほぼ同じ主題を描いたステーンに影響を与えたと考えられるヨルダーンスは、フランドルに住みながらカルヴァン派の信者であり、ハーグ近郊のハイス・テン・ボスで制作したこともあったので、オランダでは比較的よく知られていたのだろう。老人が歌い、若者がバグパイプを吹く一家団欒の宴席である《老いが歌えば若きが笛吹く》、それに《豆の王の祝宴》という二つの主題が、とくに繰り返し制作された。

「豆の王様」とは、ステーンも描いた十二日節の行事だが、生誕間もない幼児キリストに東方から三人の王（三博士）が贈り物を持ってやってきたことにちなむ祝宴で、

（図 25）ステーン《豆の王の祝宴（十二日節）》カッセル州立美術館、1668 年

豆を一粒だけ入れて焼いたケーキを切り分け、豆入りに当たった者が王の役になり、彼が王妃、侍従、侍医などの役を割り振って擬似宮廷を作り、「王様の乾杯」という一同の唱和とともに酒を一気に飲み干すものである。

宴会につきものの、既成の秩序の転倒という性格を色濃くもっている。ヨルダーンスは、王の役に当たり、王冠を被って杯をあおる太った老人を中心に、老いも若きも大きく杯を掲げて乾杯する情景を何度も描いた（口絵4）。女性も子供も参加し、笑い声と嬌声が聞こえてくるような陽気な画面をよく見ると、左の方ではすでに飲みすぎて椅子に座ったまま嘔吐する者がおり（しかも侍医の役になった者である）、その近くにはどさくさにまぎれて女に接吻しようとする男がいる。ステーンもこの主題を描いているが、そこには、王様に当たった子供に大人が酒を飲ませているような不道徳な場面も見える（図25）。ヨルダーンスはそれと似たような主題を扱っていながら、オランダの風俗画よりも、人物の比重が大きく、力強い歴史画（宗教・寓意・歴史などの物語的主題を持つ絵画）のような大画面としている。ここでも、単なる農民の乱痴気騒ぎではなく、公現祭（キリストが人類の前に顕現したことを祝う祭日）を祝うという信仰が表向きの主題となっていることが重要である。

どんちゃん騒ぎが描かれた背景

十六世紀から十七世紀にかけてどんちゃん騒ぎの絵がこれほど頻繁に描かれたのはなぜだろうか。中世から近世にかけては食糧供給が非常に不安定であった。貴族といえども凶作の年は質素な食に甘んじなければならなかった。こうした社会では逆に、富裕層や貴族はしばしば大宴会を催す傾向があったという。あらゆる階級が、粗食とごちそうを交互に食べるのが決まりだった。食料不足のために、こうした起伏が習慣として定着していたのである。

とくに農村では、毎日の食べ物と祝祭時の食べ物との落差が大きく、収穫祭、結婚式、守護聖人の祝日、復活祭、クリスマスなどに桁外れのお祭り騒ぎをする一方、通常はせいぜいパンか野菜の煮汁だけで生きていた。十九世紀までヨーロッパの農民の大半は、肉をほとんど口にせず、パンのほかは鍋で煮た野菜とスープばかりであった。しかも、食料は長く貯蔵できないし、いつ兵隊や略奪者が来て奪い去るとも知れなかった。大量に貯蔵するよりはお祭りのときに全部食べてしまおうという意識になったのである。後に見るように、教会は四旬節や聖人記念日などの精進日を定め、この期間にはパンと水しか食べてはいけないことにしたが、それが厳しければ厳しいほど、祭りのときのどんちゃん騒ぎは過熱するのだった。

もっとも、当時の農民や庶民が祭りのたびに、いつもこのような陽気な宴会をしていたわけではない。飢饉は定期的に襲ってきたし、商品経済や国境を越えた流通が整う以前の時代には、何年も慢性的に飢えに苦しむ地域が珍しくなかった。風俗画に描かれた農民や庶民はみな丸々と太っているが、現実にはありえないことであった。十七世紀の風俗画の空間は一種の理想郷であったのである。酒も食物も無尽蔵にあり、享楽的に歌い踊る農民たちの乱痴気騒ぎは、都市の富裕

（図 26）フランス・ハルス《聖ゲオルギウス市民隊幹部の宴会》ハールレム、フランス・ハルス美術館、1624－27 年

な貴族や商人にとっても理想的な情景であり、彼らは自宅にこうした絵を飾ることで、餓えや欠乏への不安をかき消して気分を高揚させようとしたのであろう。ヨルダーンスの農民風俗画にはしばしば異教の神が登場するが、丸々と太った農民たちは、豊穣の神ケレスや酒神バッカスやシレノスと同じく、見ているだけでおめでたい感じ、つまり吉祥的な効果を与えたにちがいない。布袋《ほてい》や大黒などわが国の七福神が太っているのも、同じ役割を果たすものであった。食糧供給がなんとか安定する十八世紀半ばにいたるまで、肥満は恥どころか、社会的威信を表すものであった。また、料理の豪華さは、

多くの場合、質より量で判断されていた。

フランドルやオランダの宴会図は、放蕩息子や七つの大罪という教訓的な主題の伝統の上に成立したものであり、十七世紀になると明るい農民の生活を描くことがそれ自体ひとつの主題として確立したのだった。そこにはもはや反面教師的・否定的な意味は薄れ、宗教的祭事を祝う健全な庶民の信仰心が好意的に眺められるようになっている。

十七世紀のオランダを代表する肖像画家のフランス・ハルスは、市民の自警団の集団肖像画（図26）を描く際、しばしば団員たちが飲みかつ笑う宴会の情景を設定して好評を博した。陽気な宴会の画面は、誇り高い市民たちでさえそこに参入するのを望んだことがわかる。画家たちも、陽気な宴会に自らの姿を描きこむという誘惑にかられたようだ。ステーンもヨルダーンスもしばしば乱痴気騒ぎの情景に、楽器を奏でる自画像を挿入した。レンブラントも、新妻サスキアとともにいる自画像を描いたとき自らは放蕩息子として登場し、サスキアを娼婦のように膝に乗せ、笑いながら杯を高く掲げている。

§

今まで見てきた宴会図のほとんどはフランドルやオランダで制作されたものであ

り、イタリアやスペインのものは少ないことに気づく。

これは、キリスト教以前のケルト・ゲルマン社会が、ラブレーの『ガルガンチュア』や『パンタグリュエル』に描かれたような大食漢や暴飲暴食を好ましいものとしていたことと関係があるのかもしれない。前述のように、古代地中海世界では基本的に節食をよしとしていたが、それがキリスト教の禁欲観に継承され、その伝統のゆえにイタリアなどではどんちゃん騒ぎの絵が少なくなったのではなかろうか。フランドルでは、キリスト教的な倫理観を表に出しながらも、その下層には古来のゲルマン的価値観が息づいていたのだろう。

賑やかな宴会や乱痴気騒ぎは、キリスト教的観点からすればよいことではないが、人生の幸福を感じる行為であり、美術の主題として、画家も鑑賞者も喜んで制作し、受容したことがうかがえる。美術というものは、道徳や教義の絵解きとしてだけでは説明できない、人間の複雑な心性を表象するものである。さかんに表現された宴会図には、表向きの宗教的な教義と芸術制作の動機との乖離《かいり》を見ることができよう。

2-6 食の愉悦

カンピ《リコッタチーズを食べる人々》

十七世紀の風俗画に表れた宴会図は、食べるという行為よりも、仲間や家族で飲みかつ歌うという祝祭的な性格をもつものが多かった。食べることだけを主題とした作品はそれほど多くはない。

フランス・ハルスの息子の画家レイニール・ハルスに《粥を食べる少年》（図27）という絵がある。満面に笑みをたたえた少年が、鍋とスプーンをつかみ、粥を食べようとしている。ブリューゲルの農民風俗画にもよく描かれる穀物粥（ポリッジ）は、麦や雑穀を水や牛乳で煮たものである。パンを作るには、麦を細かくひき、焼く必要があり、領主が独占する水車と釜を使用料を払って用いなければならなかったため、ひき割りの大麦や小麦、燕麦《えんばく》による粥は長らく庶民の常食となっていた。粟やソバ、トウモロコシを用いる地域もある。少年の食べる分量にしては多すぎるようであるため、ここには大食の罪への戒めという主題が読み取れるかもしれない。

この作品のように、食事そのものを主題にすえた作品を見つけるのは困難である。

（図27）レイニール・ハルス《粥を食べる少年》ハールレム、フランス・ハルス美術館、1624－27年

十六世紀後半のイタリアでは、ネーデルラント美術の影響を受けて世俗的な風俗画や静物画が勃興しつつあった。そんな傾向を代表する画家ヴィンチェンツォ・カンピは、次章で見ることになる市場や厨房の絵のほかに、農民が食事をする光景を描いている。

中でも《リコッタチーズを食べる人々》（口絵5）は、四人の男女が大きなチーズを食べている情景を表現しており、食事を正面から捉えた稀有な作品である。

リコッタチーズは豆腐のようなものだと考えればよいだろう（豆腐自体はもともと中国の唐代にチーズを模倣して作られるようになったものだという）。それを交互にすくっては食べる男女。右端の女性はスプーンを持ったまま、こちらに笑顔を向けている。その隣の男はチーズの塊にスプーンを突っ込んでいる。その右の男はスプーンに載せた大きなチーズを上から口に入れようと大きく口を開けている。画面左端の男は口いっぱいにチーズを含んで口を半開きにしているために、口の中の白いチーズが見えている。

スプーンを持つ右の女性から順に、スプーンをチーズに突っ込む、それを口に持って行く、口に含むという一連の動作が連続しているようである。また、男たちは右から若者、中年、老年と、人生の三段階を示すようであり、女性も加えて、あらゆる人間が代表されていると見ることもできよう。いずれの顔も食べることの幸福感に満ち溢れ、にぎやかで明るい雰囲気が漂っている。この作品は、画家カンピの没後、遺産として未亡人が持っていたことはわかっているが、誰の注文でどんな意図をもって制作されたのかは不明である。

もっとも愛すべき作品

十六世紀から十七世紀にかけて、「礼儀」という概念が登場した。新たに社会の上層に昇り詰めた階層が、その地位を強固にするために振る舞いの問題に関心をもったためであり、多くの礼儀作法書が出版された。その中には、「口にものをほおばって、笑ったりしゃべったりしてはいけない」という作法もあったが、この絵の登場人物たちはあきらかにそれに反している。彼らはそれぞれスプーンを持ち、争うようにチーズの塊に突っ込んでいる。礼儀作法からいえば、下品な振る舞いに見えるだろう。食事作法に反した粗野な民衆を反面道徳のように提示したのだろうか。しかし、ここに描かれた人物たちの表情は愚かそうではあっても、満ち足りており、見る者に侮蔑感よりも微笑を誘うように思われる。

画家の当初のねらいはともかく、私はこの絵こそ、食の愉悦を表現した傑作であり、「西洋美術史におけるもっとも愛すべき作品」であるとして、あちこちで紹介してきた。食欲のために多少はめをはずし、礼儀からはずれ、行儀が悪くなろうとも、手に入れることのできた食物を喜んでおいしく食べることのほうがすばらしいことではないのか。前章で、キリストが「食い意地の張った酒飲み」であると言われていたと述べたが、キリストも普段の食事ではおいしそうに貪り食べていたのではなかろうか。チーズを貪るこの男女のような食事もまた、神の豊かな恵みにあずかることの幸福を表しているように思われるのである。

聖人や修道士のようなしんみりとした質素な食事は、誰からも敬われるべき模範的な食事にはちがいないが、美術表現においては、豊富な食物に取り囲まれて明るく談笑しつつ食べる情景のほうが受け入れられてきたようだ。

それは、欲望や快楽に屈して堕落した人間の愚かで否定さるべき表現というよりは、この世の隅々に神の栄光を見て、日常的な営みを重んずる現世肯定的なイメージであるともいえよう。カンピの生きた十六世紀後半のロンバルディア地方は、カルロ・ボロメオの主導する厳しいカトリック改革の本拠地であり、《聖カルロの食事》のような戒律と禁欲に縛られた敬虔《けいけん》さが尊重された。

そのため、カンピの風俗画は、貪欲や大食の罪のような教訓性を表したものと考えられるのだが、こうした表向きの主題を口実としながら、庶民や農民の食事のようなたくましくも明るい生命力を提示したのである。それらは貴族や商人のような富裕な顧客に受け入れられ、教会に収蔵されたこともあるが、「悪しき食事」や「大食の悪徳」という表向きの教訓性がそれを可能にしたのである。

美術表現は、しばしば教義や教訓といった文字上の主題を裏切るものである。カンピの絵を見る現代の私たちには、何よりも当時の農民のたくましい生と、飲食のもっている時を超えた幸福感ばかりが感じられるのである。

2-7 永遠の名作

アンニーバレ・カラッチ《肉屋》――純粋風俗画の誕生

一五八五年ころに北イタリアで勃興した風俗画に、フランドルにはない新たな方向を与えたのはボローニャにいたアンニーバレ・カラッチであった。彼の描いた風俗画は、イタリア最初の風俗画として重要であるだけでなく、食と美術を考える上でメルクマールとなる作品である。

アンニーバレは、兄アゴスティーノ、従兄弟ルドヴィコと三人でボローニャにアカデミア・デリ・インカンミナーティという美術学校兼工房を設立し、徹底した自然観察と古典美術研究に基づく新しい絵画を創出しようとしていた。その後一五九五年にローマに行き、そこで記念碑的な大作を発表してバロック美術への道を拓くことになるが、ボローニャ時代には宗教画や異教主題の壁画と並んで、一五八二年から八五年頃に風俗画に手を染めた。

オックスフォードにある《肉屋》(図28)は、肉屋で働く職人たちを等身大で描いたものであり、歴史画のような堂々たる大作である。肉屋の絵はこれより先に同じボロー

（図28）アンニーバレ・カラッチ《肉屋》オックスフォード、クライスト・チャーチ、1582－83年頃

ニャでバルトロメオ・パッセロッティが描いたものがあるが、そこでは二人の肉屋が野卑な笑みを浮かべてナイフを握り、肉欲や大食といった否定的な意味を表していた。

しかし、ここにはそうした寓意や教訓的な意味は見られず、ルドヴィコの実家の家業が肉屋であったことや、アゴスティーノらしき肖像が描きこまれている点から、カラッチ一族の自伝的要素の強い作品であると見なされている。

中央手前から、羊をさばく男、その右には巨大な牛を吊るす男、中央奥には注文を受けて肉を用意する男、そして画面左には肉を量る男がいる。その隣、画面左端にはこれを買いに来た兵士がいるが、この人物のみが滑稽な要素を加味しているものの、職人たちは黙々と業務に励み、威厳すら漂わせる。全体の構成や人物の配置はラファエロとミケランジェロの作品にならったことがわかっているが、画家は肉屋の営みを歴史画にも匹敵する主題に昇華しようとしたのである。

ネーデルラントの市場画にあったような、さまざまな肉を本物らしく描いて展示することはなく、肉屋の職人たちの動作に集中する。制作の動機は不明だが、肉屋のような「手の仕事」から出発して、画家というやや知的な職業に移行した彼らカラッチ一族の自負心を読み取る歴史家ザッペリの説が傾聴に値する。

アンニーバレは後に、肉屋の姿も含む《ボローニャの職業》という版画集も制作したが、当時の知識階級の間に蔓延していた手仕事蔑視の思想に異を唱えたのである。この巨大な《肉屋》は、次章で見る見本市風の市場画や寓意的教訓画が終焉し、純粋な風俗画が誕生したことを高らかに告げるものであった。

実際にこの絵を見ると、その大きさと描き方に驚かされる。表現主義的といってもよい大胆な筆触が縦横無尽に走り、あたかも抽象絵画のように荒々しく描写された肉の赤い塊が目立ち、主題だけでなく様式の上でも近代性を感じさせるのである。

《豆を食べる男》──美術史上の事件

《肉屋》と並んでアンニーバレが描いたもっとも重要な風俗画が、ローマのコロンナ美術館にある《豆を食べる男》（口絵6）である。農夫のような男が黙々とスプーンで豆を口に運んでいる。スプーンからは豆の煮汁がこぼれている。ふとこちらに気づいたように目を向ける男。

こうしたスナップショット的なとらえ方も目新しいものであるが、何よりもここには、「食べる」という単純かつ重大な営為が、何らの教訓的・寓意的意味も与えずに正面から提示されている点で革新的であった。すでに近代的なリアリズムの範疇《はんちゅう》にあるといってよい。《肉屋》ほどではないが、荒々しいが的確な筆触で表現されており、料理も器も細部まで丁寧に描かれているわけではないが、その描写はたしかである。帽子を被ったこの男は農夫で、左の窓の外から日がさしていることから判断すると、労働の合間にとっている昼食なのであろう。

男がすくって食べようとしているメインの料理はファジョーロとよばれるインゲンマメを煮たもの。インゲンマメは南米原産だが、十六世紀には西洋中に広まっていた。レンズマメ、エンドウマメ、ソラマメ、ヒヨコマメなど豆は古来さかんに食べられていたが、いずれも穀物よりも下等とされ、農民や庶民の料理の典型であった。今でも中部イタリアでは豆がよく食べられているが、これだけイタリア料理が浸透している日本においては、イタリアの豆料理がほとんど知られていないのが残念である。高級なコース料理にはもちろん見られず、メニューとして出す店もほとんどない。庶民の料理だから軽視されているのだろうか。ファジョーロを煮たものは素朴だが本当においしいと思う。輸入食材店で売っているインゲンマメの水煮の缶詰でその味をしのぶことができる。

男は左手でパンをつかんでいる。豆といっしょにかじっているのだろう。画面左手前にもパン（ビーガ・セルボラーナという四つに割れるタイプらしい）が見える。豆の横にはなまのネギが三本無造作に置かれている。ネギも豆、タマネギやニンニク、カブと並んで農民や庶民の代表的な食物であった。中央手前にある皿は、干物のようにも見えるが、おそらくピザのようなもので、小麦粉に野菜を入れて焼いたトルタ・ダ・ビエートラとよばれていたものであろう。前日の夕食の残り物であろうか。右には陶製のワインの容器とワインの入ったグラスが置いてある。グラスが容器の手前、つまり男の反対側にあるのは不自然に見える。

ただその結果、テーブルの両端にパンとワインが目立つように配置されることになり、パンとワインによって画中で聖餐が暗示されていると見ることもできそうだが、それにしてはその間に位置する豆の皿やピザの一種の存在が目立ちすぎるし、全体の雰囲気からいっても宗教的含意を感じることは困難である。

黙々と匙を口に運ぶ男は、誰からも妨害されず、辱められず、ひたすら食べているだけである。カンピの《リコッタチーズを食べる人々》のような歓喜も哄笑もなく、生きるため、働くために、ひたすら飢えを満たしている。

ローマのコロンナ美術館でこの絵の前に立つと、今でも、テーブルで男の向かいに座り、彼の食事を中断させてしまったような感じに襲われる。「食べる」という行為が、人間のもっとも本質的で根源的な営みであるということを、これほど感じさせてくれるイメージはない。キリスト教的で奨励に値する「良き食事」でも、罪への警告を発する「悪しき食事」でもない、単なる食事の情景が、美術史上はじめて表現されたのである。この絵のことをいつも私が「永遠の名作」とよぶ所以《ゆえん》である。

2-8 農民の食事

ラ・トゥール《豆を食べる夫婦》

《豆を食べる男》は、貧しく、無作法でも身近な現実をそのまま提示して歴史画のような完成度を持つ作品であった。十七世紀のフランスでは、教訓的・反面道徳的意味を持たせずに農民が飲食をする風俗画が描かれた。二十世紀に歴史の闇から発見されて、いまやフランス最大の画家と目されるジョルジュ・ド・ラ・トゥールは、カラヴァッジョの様式を瞑想的にした静穏な宗教画で名高いが、初期には無骨なまでに自然主義的な農民や旅芸人の姿を描いていた。

一九七五年にはじめて世に出た《豆を食べる夫婦》（図29）は、一六二〇年頃と思われる初期のラ・トゥール特有の表現主義的なタッチによる力強い傑作である。老いた農民の夫婦が立ったまま、短い木のスプーンで、手に持った陶器の碗に入ったエンドウマメをすくっては食べている。カラッチの《豆を食べる男》では、スプーンから汁が滴り落ちていたが、この豆料理はほとんど汁気がないようであり、硬そうである。カラッチ作品に遅れること約四十年だが、同様に、農民が喜怒哀楽も会話もなく、淡々

（図29）ラ・トゥール《豆を食べる夫婦》ベルリン絵画館、1620－22年頃

と主食である豆を食べているというイメージである。男は碗を持つ手で同時に杖を支えているので、室内ではないだろう。巡礼者など無宿の流れ者かもしれない。

ラ・トゥールがなぜこのような夫婦を描いたのかは不明である。しかし、無言のうちに厳粛な雰囲気と威厳を漂わせる彼らの姿には、貧しき者こそキリストの身内であって幸いであり、天の国を継ぐべき人たちであるという思想が表現されているように思われる。

ゴッホ《馬鈴薯を食べる人々》

ラ・トゥールのやや後に同じフランスで、こうした農民の食事を描いたのがルイ・ル・ナンである。ル・ナン兄弟も十九世紀になって再発見された画家であり、三人の兄弟の手を見分けるのは困難だが、ルイ・ル・ナンは農民の風俗を得意とし、風俗画でありながら宗教画にも似た古典主義的な画面を描いた。

《農民の食事》(図30)では、三人の男が深刻な表情をして座り、画面左の男はワインを飲んでいる。中央の男はワイングラスを掲げ、右手にはパンを切るナイフを持っている。右の男は何も持たずに手を合わせて祈っている。女性と子供、少年がその背後にいて画面の雰囲気を和らげており、とくに中央奥にいる子供はつぶらな瞳をこちらに向けている。ここではあきらかに、ワインとパンによる聖餐が暗示されており、フランドルやオランダに見られたどんちゃん騒ぎの農民とはまったく別の世界の住人のようである。彼らは堂々と屹立《きつりつ》し、神の身内になる義人として威厳を保っている。

農民でありながら、前に見たような修道士や聖人にも似た厳粛な食事をとっている こうした情景は、貧しき者こそが神の宴席に招かれるというキリスト教特有の思想の表れである。敬虔なキリスト者は、貴賤にかかわらず、いつも神の恵みに感謝し、神

（図30）ル・ナン《農民の食事》パリ、ルーヴル美術館、1642年

のことを思いつつ食事をするのである。
こうした農民の食事風景の傑作は、十九世紀末のゴッホ初期の代表作《馬鈴薯を食べる人々》（口絵7）である。ランプの灯る薄暗い部屋で五人の家族が夕食にジャガイモの皿を囲んでいる。一家団欒の会話もなく、厳しい表情で黙々と塩茹でしただけのジャガイモの大皿に直接フォークを伸ばし、画面右の女性は黙ってコーヒーを注いでおり、その左にいる男はだまって茶碗を差し出している。左の夫婦のうち、嫁は何か話すかのように左端の夫に顔を向け

るが、男はこれを黙殺している。

ゴッホは主に記憶に基づいてこの絵を制作したのだが、大変な労力と時間をかけた。「ジャガイモを食べる人々が、皿に手を伸ばすその手で大地を掘ったのだということを強調しようとした」と画家自身記しているように、ジャガイモは彼らが自ら耕してその手で収穫した大地の恵みであり、彼らはこの恵みを神に感謝しつつ食べているのである。

南米原産で十六世紀にスペインがヨーロッパにもたらしたジャガイモは、食物としてなかなか一般化しなかったが、飢饉のたびに穀物の代替物として徐々にその真価が認められ、十八世紀にはヨーロッパ中に普及し、農民や労働者の一般的な食物となっていた。ジャガイモをパンにする試みもあったが、困難であったため、この絵のようにそのまま茹でて食べるのが一般的であった。ジャガイモは、パンを食べられない最下層民の主食であり、パン以下の食物とみなされていた。画面に漂う厳粛な雰囲気は修道士の食卓のイメージと大差がない。

ゴッホは敬虔なクリスチャンであり、神学を修めて牧師を志していたほどであったが、農民の生活を表現する大作として、農作業の情景ではなく、労働後の食事の場面を選んだことは意義深い。ステーンやヨルダーンスの歌い騒ぐ農民の伝統的なイメージに反し、酒ではなく、コーヒーを飲む静かで理性的な農民の姿を提示したのである。十七世紀にトルコからヨーロッパに伝えられたコーヒーは、理性を鈍麻させる酒に対して、理性を覚醒させる飲料として歓迎され、普及したのであった。とはいえ、当時のコーヒーは農民が飲むにはまだ高価であり、ここに描かれたのは、チコリの根を乾燥させて焙煎して作る代用コーヒー、つまりチコリコーヒーであったと思われる。

入念に構想され、長期間にわたって制作されたこの記念碑的作品には、土に生きる農民たちの労働の成果と、彼らの素朴だが純粋な信仰が見事に表現されているのである。

第3章 台所と市場の罠

3-1 厨房と二重空間

「二重空間」の絵画

西洋美術史を振り返ると、食事の情景よりも、台所における調理の場面や、食材を売る市場の情景のほうが頻繁に表現されているのに気づく。いずれも食事そのものではないものの、その準備として重要な主題ではあるが、なぜそれらがさかんに描かれたのだろうか。

《リコッタチーズを食べる人々》（口絵5）を描いたヴィンチェンツォ・カンピにもっとも大きな影響を与えたのは、ネーデルラントのアールツェンとブーケラールという画家であった。

彼らは十六世紀後半に、静物画や風俗画と宗教画が同居している奇妙な作品群を描き、十七世紀風俗画の祖となった画家である。

それらは、画面手前に食材や商品が並べられ、同時代の人物がそれらの前で立ち働く風俗画となっているが、画面奥には聖書の場面が小さく見えるというような作品である。こうした「二重空間」の絵画は、十六世紀後半から十七世紀初めにかけてネーデルラント、北イタリア、そしてスペインで流行した。

一般には、それぞれの世俗ジャンルが独立する前の未分化の過渡期的な現象を示すものと説明されるが、その意味については現在も定説を見ていない。

それらは、聖なる場面に現実性を導入するための試みと見ることができ、あるいは画中空間と現実空間を接続させるバロック的な手法の先駆となるものであった。そして、静物画や風俗画がジャンルとして独立する以前の十六世紀半ばにおいて、食物や厨房を前面に大きく写実的に描いたという点で注目に値するものである。

「マルタとマリアの家のキリスト」

たとえば、ピーテル・アールツェンの《マルタとマリアの家のキリスト》(口絵8)は、手前に食物や道具が所狭しと並べられた厨房の情景であり、奥に見える部屋にキリストとマルタ、マリアが小さく見える。

「マルタとマリアの家のキリスト」という主題は、厨房と結びついている。マルタとマリアの姉妹の家にキリストが迎えられたとき、姉のマルタは主をいろいろともてなすためにせわしく立ち働いていたが、妹のマリアはキリストの足もとに座って、その話に聞き入っていた。マルタはこうした妹の態度に腹を立て、ついにキリストに、妹をたしなめて自分を手伝うように注意してほしいと訴えた。すると主はこう答えた。「マルタ、マルタ、あなたは多くのことに思い悩み、心を乱している。しかし必要なことはただ一つだけである。マリアは良い方を選んだ。それを取り上げてはならない」（ルカ10：38－42）。

家事を手伝わない妹が得をし、働き者の姉がキリストにたしなめられるという一見不条理な話なのだが、古来さまざまな神学的解釈がなされてきた。マルタは活動的生、マリアは瞑想的（観想的）生という、人間の生活のふたつの側面を象徴するという解釈が普及し、信仰生活にとっては後者のほうが重要であるが、両者は相補うべきだとされた。女性にとっての家事労働を軽視するのではなく、いずれも重要であるというわけだが、「二重空間」の絵では、なぜか手前に厨房の場面が大きく描かれ、奥にわずかにキリストやマリアが見えるのみであった。厨房を描かず、主役の三人だけを大きく描いた作品もアールツェンは描いているし、ほかにもフェルメールの初期作品など、この主題は比較的よく描かれた。

アールツェンのこの絵では、奥の暖炉の前で、マルタが箒《ほうき》のようなものを手にして立ち、キリストは足もとに座り込んで手を合わせるマリアの頭に手を置いている。

（図31）ブーケラール《マルタとマリアの家のキリスト》ブリュッセル王立美術館、1565年

暖炉の上には、オランダ語で「マリアは良い方を選んだ」という文字が見える。

しかし、こうした情景とは関係なく、手前には大きな肉の塊やパン、バターやワインの容器などのほか、革の財布、書類や銀器の入った金庫、陶器や花瓶が大きく見える。

アールツェンの甥で弟子であったブーケラールの作品（図31）でも、食材だけでなく厨房で働く女性の姿が大きく表されている。厨房で豊富な食材に囲まれた女が鳥の羽をむしったり、長い鉄の串に肉の塊を刺したりしている。キリストやマリアのいる奥の部屋は手前の厨房から続いていて、同じ床の延長に位置しているものの、ほとんど別の次元の世界であるようだ。厨房における女性たちの労働が、キリストをもてなしたマルタに見立てられているともいえよう。「マルタとマリアの家のキリスト」という主題は、単に台所で働く女性の姿を描くとの口実にすぎなかったようにも思われる。

研究者によって多少の相違があるが、おおむねいえることは、これら手前の物質はマリアの選んだ精神的価値と対比され、現世のはかない価値を象徴しているということである。つまり、手前に展開された物質的価値や欲望の世界を乗り越えて、キリストの近くの精神的世界に行くべきであるという教訓である。

あるいは、キース・モクシーのように、こうした絵にはプロテスタント的な思想が反映されているとする見方もできる。つまり、聖書の情景を実際に見るように修行させるロヨラなどのカトリックと正反対に、ヴィジョンを否定し、真実は見えないもののうちにあるという考え方である。アールツェンやブーケラールの画面で目を奪う前景は、堕落した世界そのものであり、それを通してしか超越的なものは把握できない。

デヴィッド・フリードバーグによれば、これらの作品が制作された一五六〇年代は、宗教改革によるイコノクラスム（偶像破壊）の嵐が吹き荒れており、自らの宗教画を破壊されたこともあるアールツェンは、プロテスタントの検閲官の目を潜り抜けるた

(図32) ベラスケス《マルタとマリアの家のキリスト》ロンドン、ナショナル・ギャラリー、1618年

めにあえてキリスト教的な教訓を含ませたと考えられるという。

ベラスケスの手法

これらの二重空間の影響を受けたベラスケスの作品(図32)でも、手前に厨房で働く娘と老婆がいるが、マルタとマリアの家のキリストの情景は彼女たちと同じ地平ではなく、壁に開いた空間のうちに見える。娘はふくれ面をして不満そうにニンニクをすりつぶしているが、老婆は娘に寄りそって奥にある空間を指差している。

この空間は、隣の別の部屋か、あるいは壁に掛けられた鏡なのか、あるいは絵なのかは曖昧である。鏡であるとすればベラスケスの後の傑作《ラス・メニーナス》のように、観者のいる空間にキリストもいることになり、絵の内と外とのダイナミックな関係が生ずる。聖書の情景はアールツェンやブーケラールの作品では地続きの同一の空間の延長に位置していたが、ベラスケス作品では絵か鏡のように切り離されている。

ブーケラールの絵ではどれも、女性たちは奥の聖なる情景とまったく関係なく立ち働いていたのに対し、ここでは、老婆が指し示すことによって、聖なる情景は手前の台所と結び付けられている。ノーマン・ブライソンはこのふたつの空間に、歴史画と静物画、英雄的な行動と日常的な営み、芸術と工芸、貴族と庶民といった対比を読み取っている。

老婆は、娘を働かせておきながら、手伝いをしないマリアがキリストに褒められるという場面を示していることは、一見矛盾するように思われよう。しかし、前述のように、マルタの示す活動的生は瞑想的生を支え、いずれも重要であると当時考えられていたことから、女性にとっての労働の重要性を示しているのだろう。

この厨房では、ニンニクや赤トウガラシがちらばった台の上に、鯛のような魚と卵が用意されている。四匹の魚と二つの卵とすりつぶしたニンニクやトウガラシを使ってどんな料理を作ろうとしているのだろう。魚はキリスト、卵はキリストの誕生と復活を象徴していると見ることもできる。またブーケラールの絵の娘たちがいずれも肉を料理していたことと比較すると、魚と卵という一種の精進料理が描かれたことからは、手前の料理の情景が否定的な意味をもっていたとは考えにくい。

厨房が登場する二重空間の絵では、「マルタとマリアの家のキリスト」のほかに、第1章で見た「エマオの晩餐」という主題もある。やはりアールツェンからイタリアのバッサーノ、ベラスケスにいたる作品の系譜があり、食物や厨房の情景の背後に、二人の使徒とともにテーブルにつくキリストが小さく描かれている。

二重空間の宗教的意味

「マルタとマリアの家のキリスト」も「エマオの晩餐」も、主題がいずれも厨房や食事と関係するところから、これが食物や厨房の風俗を描く口実となり、ジャンルとしていまだ確立していない風俗画や静物画を、宗教画と融合させたものと考えることができる。こうした二重空間の作例では、いずれも食物や風俗の部分が手前に大きく表現され、聖書の情景は添え物にすぎないように奥のほうに小さく表現されているにすぎない。

しかし、観者は手前のおいしそうな食材や、本物そっくりの写実的な描写をしげしげと眺めるうちに画面にひきこまれ、風俗的人物とともに聖書の場面を垣間見ることになるのである。手前の静物や風俗はいわば観者と聖なる情景を媒介する役割を果たしているのであり、聖書の場面に臨場感を与えているのだ。

これは、十六世紀後半に、カトリック改革の影響のために宗教画や聖なる情景の描写が平明でわかりやすくなった反面、観者をひきつける要素が減少し、現実性も希薄になったため、迫真的な静物描写や風俗画の現実性が取り込まれたものと見ることもできよう。

もちろん、手前に描かれた静物にも宗教的な意味があり、二重空間の作品の多くに登場する肉は現世の肉体、脱却しなければならない肉欲として奥にある聖なる情景の精神的価値と対比されている。魚はキリストの象徴でもあり、またアールツェンの《マルタとマリアの家のキリスト》では左手前にあるバターは、実は酵母の塊であって、パンを宿していることからキリストの受肉を表しているという説もある。

二重空間の作品では、主題の多くが食にまつわるものであり、手前に展開する静物や風俗も飲食に関するものばかりであったということは、食事が「最後の晩餐」やミサにつながる神聖な意味をもつことと関係があるのだろう。つまり、手前の静物や風俗的な情景は観者の目をひきつけ、画中に導入する役割を果たすと同時に、意味的にも画面奥の聖なる情景と対比されていながら、その意味を具体的な事物によって象徴する役割を担っていたのである。それらは、聖俗の間、画面空間と現実空間の間に位置する移行部といってよい。

この移行部がやがて独立して聖なる情景を放逐する、あるいは自身のうちに聖なる意味を取り込んで画面全体を寓意とすることで、前章で見た風俗画や次章で見る静物画のようなジャンルが発生するのは自然の成り行きである。

一方、聖なる情景に現実性を導入し、しかも画面の手前と奥の情景のように、距離によって両者を隔てるのではなく、一体化してなお聖性を感じさせる作品を生み出したのがカラヴァッジョであり、第1章で見た《エマオの晩餐》はその瞠目《どうもく》すべき成果のひとつであった。テーブルの上の果物籠やローストチキンのような迫真的な静物が観者の目をひきつけ、それがその奥にいるキリストに祝福されたパンへと導く手段となっているのである。

3-2　市場の情景

アールツエン《キリストと姦淫の女》

アールツェンやブーケラールによって制作された二重空間の絵のうち、厨房が登場しない作品の大半は、屋外の市場の情景である。やはり奥に小さく描かれる聖書の主題は、「聖家族のエジプト逃避」「キリストと姦淫の女」「エッケ・ホモ（この人を見よ）」「奇蹟の漁り」などさまざまである。

アールツェンの初期の代表作《肉屋》（口絵9）では、画面いっぱいにさまざまな肉やその加工品が並べられ、中景に水を汲む農夫がいるが、奥の開口部のうち中央部には聖母子がロバに乗って去っていく情景が見える。それを一人の子供が追っているが、聖母はロバの上から子供に何かを渡している。施しを与えているようである。画面右奥には解体されて吊るされた牛と宴会の場面、左の開口部には教会に登っていく道が見え、右から左に進化していくようである。

手前の肉は人間の肉欲や物質的な価値への愛を表し、奥のふたつの情景は善行や神の愛を表していると見ることができる。「神の国は飲み食いではなく、聖霊によって

（図33）アールツェン《キリストと姦淫の女》フランクフルト、シュテーデル美術館、1559年

与えられる義と平和と喜びなのです」（ローマ14：17）という聖句のように、目の前にある食物や肉の世界に心を奪われずに、聖家族を追って信仰や精神の価値を求めて神の国を求めよという教訓が読み取れる。同じ画家の《マルタとマリアの家のキリスト》のように、手前の物質的価値とその奥にある精神的価値とが対比されているのである。また、聖家族の情景とその手前にある牛の頭の間には、二匹のニシンが皿に載っているが、それは十字架のように組み合わされ、キリストを象徴するようである。

それにしても、手前に描かれた食物は種類が豊富で興味が尽きない。

牛と豚の頭、豚足、ソーセージ、ハム、

である。

ラード、バター、野禽、魚、プレッツェルなど、当時の贅沢な食料の見本市のようで

また、やはりアールツェンの《キリストと姦淫の女》（図33）は屋外の情景であり、手前に野菜や果物、鳥や卵の入った籠を並べる男女がいる。この市場の情景は、「キリストと姦淫の女」のエピソードとほとんど何の関係もないように見える。「キリストと姦淫の女」のエピソードとは、パリサイ人たちに、姦淫を犯した女を石打ちの刑にしたいがどう思うかと問われたキリストが、「汝《なんじ》らのうち罪なき者まず女を打て」と言って女を救ったという話（ヨハネ8：2－11）である。

後景では、人々に連行された姦淫の女の前で、キリストがかがんで指で床に文字を書いている。ヨハネ福音書では、キリストが地に何かを書いていたとあるだけで何を書いていたのかは不明だが、女を連れてきたパリサイ人の罪について書いていたともいわれる。一方、前景にいる人々は、キリストたちには目もくれず、作物や商品の管理に没頭している。ここでもやはり、観者は目の前にある豊富な食物に気をとられずに、その後ろにある聖書のメッセージに耳を傾けるべしという教訓がこめられていると考えられる。聖書の教訓なら「キリストと姦淫の女」でなくてもよさそうだが、この主題がなぜか繰り返し表現された。

ブーケラール《エッケ・ホモ（この人を見よ）》

市場が登場する絵としては、ブーケラールが何度も描いた《エッケ・ホモ（この人を見よ）》（図34）があるが、これも「キリストと姦淫の女」と同じく「審判」の主題である。姦淫の女の処置を問うてキリストを陥れようとしたパリサイ人や、キリストの処刑を主張するユダヤ人の判断が、市場で作物や食料に目を向ける農民や私たち観者の愚かさと重ね合わされ、戒められていると見ることができよう。はるか遠くに引き出されたキリストが見えるが、手前にいる人々はキリストに目を向けず、市場の喧騒の中でそれぞれの営みに没頭している。

この市場は十六世紀半ばのアントウェルペンの街頭のにぎわいを反映していると考えられるが、ギルドに所属する市民による市場ではなく、週の定められた日にしか店を出すことが許されない流れ者の商人ばかりであるという。

観者はさまざまな食材に目を奪われて、奥にいるキリストにはなかなか気づかない。気づいたとしても、貧相で惨めなこの人物が神であるということには思いいたらない。果物や野菜の価値はわかっても、人間にとっての真の価値はなかなかわからないものだ、これらの絵を分析したホーニッヒによればそういう意味が表されているという。

（図34）ブーケラール《エッケ・ホモ》ストックホルム国立美術館、1561年

つまり市場はきわめて魅力的だが、それにとらわれていてはいけないという教訓であり、作物を売る商人や農民たちは、神の存在や信仰の価値に気づかない愚者として表されているという。

これらの絵を所有した富裕層は、画中の商人や農民に対して優越感をもって、雑踏の中から神の姿を見出しては悦に入っていたのだろう。とはいえ、ブーケラールの《エッケ・ホモ》は現存するだけでも七点もあるが、それだけの理由でこうした絵が広く人気を博したとは考えがたい。やはり、こまごまと描かれた、新鮮でおいしそうな果物や野菜の描写が人々をひきつけたためにちがいない。そのせいか、アールツェンもブーケラールも、後景にキリスト教的主題の見られない単なる市場の絵も数多く制作しているのである。それらには、一度に売られていたとは信じがたいほど多くの産物が並んでおり、図鑑的といってもよい食材の見本市のような機能を持っていたようである。

3-3 謝肉祭と四旬節の戦い

ブリューゲル《謝肉祭と四旬節の戦い》

アールツェンと同時代にネーデルラントで活躍した風俗画の巨匠ピーテル・ブリューゲルは、農民たちの生活を生き生きと描いて日本でも古くから人気のある画家である。一五五九年に描かれた《謝肉祭と四旬節の戦い》(口絵10)は、当時の市場や食習慣を記録したものであり、民俗学的にも興味深い作品である。

第1章で「最後の晩餐」の食卓に載ったのは肉か魚かということを考えたが、西洋では肉と魚とはいつも対立関係にあった。それを寓意的に示す主題が「謝肉祭と四旬節の戦い」である。前に見たように、中世から近世にかけては、貴賤にかかわらず、粗食とごちそうは交互に食べるのが決まりだった。農村では、各種の祭りというハレにはどんちゃん騒ぎをし、教会の定めるケの日には精進（斎食）や断食に甘んじたのである。その両者が踵《きびす》を接するのが謝肉祭と四旬節である。

いずれも初春の行事で、謝肉祭（カーニヴァル）は肉をふんだんに食べ、飲み、踊って祝う三日間（あるいは一週間）の祭典である。これに続く四旬節（レント）とは、復活祭まで、主の受難をしのび、キリストが荒野で修行した期間にちなんで断食し、回心する六週間の懺悔《ざんげ》期間で、うち日曜日を除く三十六日は肉を口にしてはいけないことになっていた。厳格な精進は、二十四時間に一度だけ、夕べの祈りの後にパンと水だけを食べることだった。

五世紀頃から普及したこの斎戒は徐々に緩和され、前に述べたように、九世紀頃から魚は食べてもよいこととなり、ワインと肉以外は野菜でも卵でも食べてよいことになった。こうした戒律は、カトリック諸国では十八世紀末ごろまで守られていたという。

謝肉祭は、四旬節に入って肉食を断つ直前に、肉を与えてくれた神に感謝を捧げるのが本来の意義であったが、次第に世俗的な祝祭になっていったようだ。謝肉祭と四旬節は、飽食と断食、喜びと苦痛、満足と後悔、悪徳と美徳、罪と救いといった二項対立の象徴であった。

鋭い視点

この絵は、復活祭と四旬節の衝突する日、つまり日曜日、月曜日、火曜日の三日間にわたる謝肉祭の最後の日である「告解火曜日（マルディ・グラ）」の日に、謝肉祭と四旬節の擬人像が向かい合って対戦している図である。背後にはそれぞれ関連する食物や食事が描かれている。この寓意は古くからあり、すでに十三世紀の末、チーズがエイと戦い、ソーセージがウナギに挑戦するといった詩が作られており、よく知られた主題であった。

ブリューゲルの絵は、同じ主題を扱った、ホーヘンブルフの版画や失われたボッスの絵の影響を受けているが、ブリューゲルらしい、にぎやかなパノラマ的な俯瞰図である。画面左が謝肉祭で右が四旬節である。左右の画面の端には居酒屋と教会が建っている。謝肉祭の擬人像は太った男で、ワインの樽にまたがり、頭上にはミートパイを乗せ、長い串に刺した豚肉を持っている（図35）。その従者は謝肉祭独特の服装をし

（図35）ブリューゲル「謝肉祭」部分

「謝肉祭」拡大部分

ており、楽器を鳴らして歩く男たちがついて行く。背後には、卵を並べ、パンケーキ（ワッフル）を焼く女がおり、画面左端には頭に長方形のワッフルを巻いて賭け事に興じる若者がいる。謝肉祭の最後の火曜日は、残った卵やバターなどをすべて使ってパンケーキを作って食べる習慣があったことから、パンケーキ・チューズデイという別名も生まれた。背景の居酒屋の前では路上劇が行われている。

これに向かい合う四旬節の擬人像は痩せこけた老婆で、三角の教会椅子に座り、養蜂用の籠を被って、パン焼き用の長いしゃもじの上にニシンを載せている（図36）。足元にはムール貝を入れた容器があり、プレッツェルやパン種を入れない平たいパンが落ちている。プレッツェルは、もともと子供が祈るときの腕のように成形して作られたものといわれ、小麦粉から作られることもあって、パンのような聖なる意味があるとさ

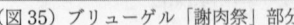

（図36）ブリューゲル「四旬節」部分

「四旬節」拡大部分

れ、四旬節の間に焼かれるようになったのである。二人の男女の修道士がこの椅子を引き、後ろには盲人や身体障害者や未亡人に施しをする人々や、埋葬のために死者を手押し車で運ぶ人、ミサを終えて教会から出てくる人々が見える。背後には魚を切って売る女たちや、野菜の籠を置いて井戸から水を汲む女が見える。井戸の近くには巡礼の男女がおり、そこに縞模様の服を着た道化が昼間なのに松明《たいまつ》をもって歩いている。

　謝肉祭の食料は、肉だけでなく、ワッフル、バター、卵に代表され、四旬節の食料は魚、プレッツェル、平たいパン、ムール貝に代表されている。祝祭性と精神性、快楽と禁欲などが対置されたこの画面には、当時の社会の現実をも反映している。

　魚を売っている平台を見ると、アールツェンやブーケラールの描いた市場とは比べ物にならないほど貧弱である。謝肉祭も四旬節もまだ夏にはほど遠い季節で、産物の乏しい時期であるということを考慮しても、やはりこの乏しさこそが現実であったろう。これに比べるとアールツェンらの市場画が博物学的に作られた情景であることがはっきりするのである。また、あちこちに歩けない障害者や盲人たちが、快楽にふける人々と対置され、周囲の浮かれ騒ぎから取り残されている点にも、画家の鋭い視線を感じることができよう。ブリューゲルは、謝肉祭と四旬節という、愚行と善行のどちらの側にも人間の愚かさや悲しさを見ているのである。

肉は快楽、魚は禁欲

ブリューゲルの絵で対立する人物が持っていた肉と魚は、肉が快楽や飽食、魚が禁欲や断食を表すものとして、意味的に対比されることが多かった。ブリューゲルと同時代にも、《肉族と魚族の戦い》という版画があった。後の時代には、次章で見るシャルダンの作品のように、静物画においてもしばしば対作品の主題となった。

イタリアでは今でも金曜日には肉食を断つことがあり、この日だけは魚を食べる習慣がある。金曜日はキリストが死んだ日であり、受難週では聖金曜日という。金曜日しか魚介類を出さない著名なレストランもあり、その金曜日の魚介料理を目当てに訪

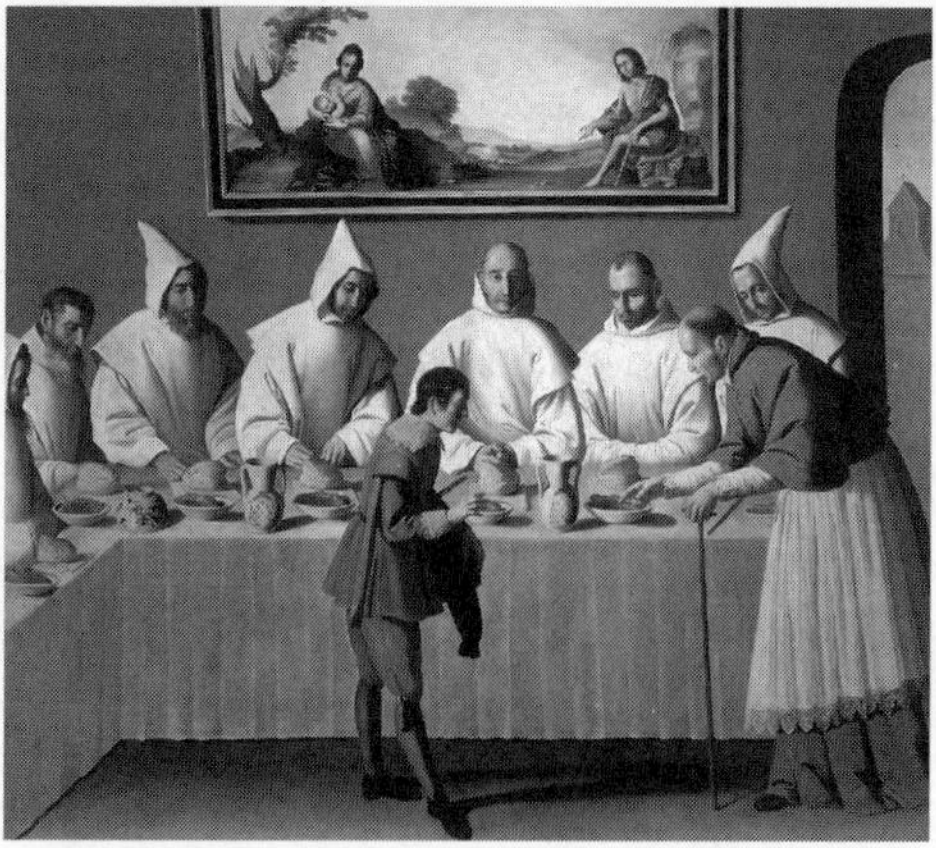

（図 37）スルバラン《聖ブルーノと食卓の奇蹟》セビーリャ美術館、1630－35 年頃

れる客がいたりする。今や魚には禁欲とか節食といった意味はなく、かえって肉よりも高級な素材として食通に尊重されているのは皮肉なことである。

前に述べたように、修道院では肉食が禁じられていたが、食べるところもあった。スペインの画家スルバランの《聖ブルーノと食卓の奇蹟》（図37）は、十一世紀のカルトゥジオ会の創設期に起こった肉食にまつわる奇蹟を描いたものである。四旬節前の日曜日、グルノーブルの司教聖フーゴから送り届けられた肉を、聖ブルーノたちは食べるべきかどうか議論する。そのうち全員がふいに眠気に襲われ、四旬節の間中眠ってしまった。復活祭の前に聖フーゴが訪れると、眠りから覚めた聖ブルーノたちの前で肉がたちまち灰に変わった。これ以降、カルトゥジオ会では肉食を断つようになったという。

スルバランの絵では、聖フーゴが入ってきて食卓を前にした修道士たちが目覚め、皿の中の肉が灰に変わる瞬間を表している。劇的な場面をとらえているにもかかわらず、簡素な構図と禁欲的な雰囲気は、修道士の食堂にふさわしいものである。卓上の食器やパンの描写にも静物画の名手スルバランの技量が発揮されている。

ブリューゲル《怠け者の天国》

ブリューゲルは、虚実相半ばするネーデルラントの民衆世界を数多く描いた。有名な月暦画連作の一点《収穫》(図38)では、麦を刈ったり運んだりする人々とともに木陰でくつろぎ、昼食をとる農民たちの姿を描いている。

真夏の八月は麦刈りの季節であり、労働と休息の時期であった。この農民たちは皆パンではなく穀物粥を食べている。チーズらしきものを削る農婦もいるが、肉などの副食物はない。これが農民の通常の食事だったのである。中野孝次氏はここに、麦刈りの労働の厳しさに見合った農民の「むさぼるような飲食」と「充足しきっている姿」

（図38）ブリューゲル《収穫》ニューヨーク、メトロポリタン美術館、1565年

を見ている。
ブリューゲルの《農民の婚宴》（図39）には、ブライというネーデルラント独自のミルクと米、あるいは梨やリンゴなどで作るプディングがたくさん見られるが、これはハレの日の食べ物であった。ブリューゲルの失われた作品で、息子ヤンやピーテル二世によるコピーで知られる《農家の訪問》という絵は、小作人の出産祝いに領主がその家を訪れている情景であり、飼料を煮る大鍋やバターの攪拌器《かくはん》など、当時の農家の内部がうかがえて興味深いが、テーブルの上にはこのブライが並んでいる。
アールツェンも当時の農民の食事を

（図 39）ブリューゲル《農民の婚宴》ウィーン美術史美術館、1568 年頃

描いている（図40）。農婦が丸いフライパンでクレープのようなパンケーキを焼いており、子供や男が薄いパンケーキを手にしている。画面左のテーブルの上には、切ったチーズやパンのほかに、網目のついた薄い長方形の菓子が皿に載っているが、これはブリューゲルの《謝肉祭と四旬節の戦い》にも登場したワッフルである。小麦粉にミルクや卵を入れて焼いたパンケーキも、農民のごちそうであった。これをフライパンで焼いて食べている情景は、十七世紀のアドリアン・ファン・オスターデも描いており、レンブラントのエッチングにもある。

また、ブリューゲルの《怠け者の天国》（図41）には、食べることにこだわった当

（図40）アールツェン《パンケーキ作り》ロッテルダム、ボイマンス＝ファン・ビューニンゲン美術館、1560年頃

時の理想郷が表されている。この主題はブリューゲル以前から西洋では美術においても文学においても人気のあるものであった。

一本の木の周囲に放射状に三人の男が寝ている。彼らは貴族、農民、兵士という三つの階層を表し、満腹のあまり起き上がれないようである。真ん中の木には、彼らの食べ残した食事が載っている。画面左に見える小屋の屋根には瓦のかわりにブライが並べられ、その背後にはソーセージの垣根がある。ゆで卵が二本足で歩き、ガチョウが皿に載り、豚がナイフとともに走ってきている。右端にはサボテンのようなパンケーキの木が生えており、その奥には粥の大きな山が見え、一人の男が入っていこうとしている。遠景にはミルクの川が流れている。

この「飽食と美食の国」は、本来は戒められ

(図41) ブリューゲル《怠け者の天国》ミュンヘン、アルテ・ピナコテーク、1567年

る悪徳の主題であり、教訓的な視点から風刺的・批判的に表現されることが多かったが、この画面にはほとんど否定的な要素が見られない。森洋子氏が指摘するように、画家自身がむしろ民衆の想像力やユーモアに共感しているようである。寝そべる男たちはこの運命を甘受し、恍惚としている。

当時は腹いっぱい食べられる階層はごく限られており、今日では考えられぬほど常に飢餓への恐怖と隣り合っていた。人々が慢性的な空腹を抱えながら夢見たのが、まさにこの絵のような世界にほかならなかった。

それは精神的に堕落して破滅にむかう世界かもしれないが、抗しがたい魅力をもっていた。食事や食べることの肉体的喜びは、地獄への恐怖をも超越してしまうようである。食料があふれる豊かさへのあこがれは、同時代のアールツェンの市場画に表されたものと同じである。ここでも、絵画に表現された性質が、表向きの教訓性を裏切っているのである。

3-4 カンピの市場画連作

イタリア最初の風俗画

ネーデルラントで人気を博したアールツェンやブーケラールの絵は、ヤコブ・マータムによって版画化され、スペインやイタリアで影響を与えただけでなく、アントウェルペンで商売をしていたイタリアの銀行家や駐在していた貴族によって、イタリアにも数多くもたらされた。

こうした絵に触発されて同じような絵を描いたのが、前章で見た《リコッタチーズを食べる人々》を描いたクレモナの画家ヴィンチェンツォ・カンピである。

カンピは少なくとも二種類の市場の連作を描いたが、これはイタリアにおける最初期の風俗画として美術史上きわめて重要である。片方は一五八〇年頃にアウクスブルクの大富豪ハンス・フッガーの注文で制作された五点で、もう片方は一五八五年頃に制作されて画家の工房に遺され、一六二三年にクレモナ近郊のサン・シジスモンド修道院に収蔵されたのち、現在ミラノのブレラ美術館にある五点である。

前者の連作は、三点が魚介売りで、残りが野菜・果物売りと野禽売りであり、後者の連作は、魚介売り、果物売り、野禽売りに加えて、《調理図》と、家財道具が運搬される情景を描いた《引越し図》のセットである（この《引越し図》を連作に含めない考えもあり、また《リコッタチーズを食べる人々》も同じ経緯で修道院に入っているが、大きさから考えて連作とは別のものであろう）。《魚介売り》の絵のうち三点では、豆とチーズを食べる農民の夫婦が描きこまれているのが目をひく。ネーデルラントの市場画では、飲食をしている人物はほとんど見られなかった。

これらの作品では、先例となったアールツェンやブーケラールの作品と異なり、聖書の主題はまったく見られない。純粋な風俗画のように見えるが、そこに教訓を読み取る意見もある。画面に展開された魚介や果物や野禽は、ネーデルラントの絵と同じく、肉体的欲望や物質的な価値を表し、それらにとらわれてはいけないという否定的

（図42）カンピ《魚介売り》ミラノ、ブレラ美術館、1585年頃

な教訓を与えるものだとする説や、信仰を忘れて目前の食物や商品に気をとられている画中の農民を、嘲笑さるべき愚か者として表したものだとする説などである。

また美術史家スパイクは、魚介は水、果物は地、野禽は空気、台所は火という四大元素の寓意だとし、パリアーガは、四季の寓意であり、《魚介売り》（図42）は春、《果物売り》は夏、《野禽売り》は秋、《調理図》は冬であるとした。

階級と食事

このように、いまだに定説を見ていないのが現状だが、マクタイゲの近年の説は当時の食物観と関連づける興味深いものである。

食物にはそれにふさわしい階層があって貴賤によって食べ物は異なるという考えがあり、とくにバルトロメオ・ピザネッリの『飲食物論』(一五八五－一六一九)に現れたそうした内容を、カンピの連作は表現したものであるというのである。農民たちは魚介や果物や野禽を売っているが、それらは彼らの食べ物ではなく、貴族や知識階級の食べ物であり、農民たちは豆やチーズのみを食べるべきだという思想である。また、十七世紀初頭には農民の主人公が宮廷料理を食べて死んでしまう『ベルトルド』という喜劇も作られた。

豊富な魚介を目の前にしながら、おいしそうに豆を食べる魚介売りの男は、「ボラを食べる者はそれを獲らない」あるいは「ボラを獲る者はそれを食べない」という諺にあるとおりであり、おいしそうな作物を作り、獲物を獲る者はそれを食べることはなく、豆など彼らにふさわしいものを食べるべきだという、おそろしく差別的な思想の表れであるという。

『食卓の歴史』を書いたメネルは、「ヨーロッパの歴史では、食物に対して、宗教は比較的弱い影響力しか持たず、圧倒的に強い影響力を持ってきたのは、階級だった」とし、西洋のどこの国でも社会階層間で食餌に差異があったと述べている。

しかし、画家も注文者も、そんな食事観を表すために大きな連作を構想したのかという疑問があるし、ネーデルラントの市場画との意味的なつながり、またこの解釈だけでは説明できない作品が連作に混じっていることなどから、彼女の解釈には全面的に承服はできないものの、画中の食べる男女が登場することに注目したことは重要である。

カンピ《果物売り》

ここでは、連作の作品のうち、《果物売り》（図43）を見てみよう。《果物売り》は女性が優美に着飾った姿で表現されているが、果物と肉欲とのつながりから、退廃や堕落を意味するものというより、おいしそうな果物を展示するための案内役のような存在となっている。

果物は今ではデザートや副食品と考えられているが、西洋では長らく食物の王者として、正式な宴席のメニューでも主役のような地位を誇示していた。西洋の十九世紀以前の晩餐会のメニューを見ると、前菜、メインディッシュ、デザートのどこにでも果物が出てくるのに違和感を覚えるものである。果物は特定の季節に

(図 43) カンピ《果物売り》ミラノ、ブレラ美術館、1585 年頃

しか口に入らず、産地も限られていた。また砂糖や甘味が希少であったため、今日よりはるかに珍重されたのである。カンピの絵では、果物と同じようにみずみずしい女性が桃を膝に抱えて右手に葡萄を持ち、もうひとつの連作の《果物売り》ではやはり着飾った女が桃を剥いている。女の周囲には季節を異にする果物が所狭しと並べられ、果物の見本市のようである。こうした作品の注文者は、教訓めいた意味や蘊蓄《うんちく》よりは、多彩な果物を見て素直に驚きと喜びを覚えたにちがいない。

実際、カンピの市場画は食堂に掛けられるために注文されたものであることがわかっている。画中の豊かな食材は、食欲を刺激する機能をもっていたのである。同様に、カンピの《リコッタチーズを食べる人々》も、前章

（図44）カラヴァッジョ《果物籠》ミラノ、アンブロジアーナ絵画館、1597年頃

で見たように、悪しき食事の表現としての反面道徳の役割を果たしたというよりは、マナーもわきまえず貪り食う男女の楽しげな雰囲気が、見る者に食べることの愉悦と幸福を印象づけたであろう。

食材や料理への魅惑

カンピのこうした作品を見て成長したミラノ生まれの画家カラヴァッジョは、ローマに出て、果物を剥く少年や果物籠を抱く少年の絵を描き、やがてイタリア最初の独立した静物画といわれる《果物籠》（図44）を描くことになる。迫真的な《果物籠》も、単に目の前にある果物を写したものではない。カンピの絵と同じく、季節の異なる果物が共存しているのである。同時には食べられない貴重な果物を何種類もいっしょに描くことで、絵の価値をも高めようとしたのである。

カンピの市場の絵は、基本的にこうした役割を果たすものであり、ネーデルラントの市場画と同じ意味をもっていたのだろう。今とちがって、貴顕や富裕層といえども、食料の調達は不安定であり、常に飢餓や欠乏の恐怖と隣り合っていた時代である。豊かな食材があふれる絵画を飾って日夜眺めることは、こうした不安をかき消し、満足感を与えてくれるものであったにちがいない。果物、魚介、禽獣などの食材や料理が所狭しと描かれた絵は、必然的に見る者の食欲をかきたて、豊富さから来る幸福感を植えつけたのである。

また、豊富な食材を調理する光景も見る者を喜ばせるが、それがこの連作の一点《調理図》(図45)である。左端で臓器に息を吹き込んで膨らませる子供のほかは皆熱心に働いており、右側には、鳥をローストするためにさばく少女、串に刺す男、中央にはチーズをすりおろす女と、攪乳してバターを作る老婆、左には吊るされた牛をさばく男たちがおり、奥には小麦粉を練って引き伸ばす女たちやパイを作る女がいる。奥に見える部屋には、宴席のためのテーブルがあり、女が食器を調えている。ネーデルラントの先例では、この部屋にエマオの晩餐のキリストやマルタとマリアがいるべきで

（図45）カンピ《調理図》ミラノ、ブレラ美術館、1585年頃

あるが、カンピの画面では主人は見られない。「大きな台所には貧困が近づく」という北イタリアの諺と関連するという見方もあるが、画家の表現はそうした教訓から離れて、食材と料理の多彩な魅力を強調するものになっているのである。

このように、当初は聖書の情景と共存して、教訓的なメッセージを主題としていたネーデルラントの厨房や市場の絵は、やがて聖書の情景を必要としないようになり、食材や料理の魅力を前面に押し出す画面に変貌した。

十七世紀になると、食材のあふれる市場や厨房の絵は各地で描かれるようになった。

イタリアでは、ヤコポ・エンポリが各

（図46）アレハンドロ・デ・ロアルテ《料理人》アムステルダム国立美術館、1622年

種の獣肉や鶏肉の吊り下げられた厨房の一角を何度も描き、スペインではファン・エステバンやアレハンドロ・デ・ロアルテが、やはりびっしりと肉や魚の吊り下げられた鶏屋や厨房の絵を描いた（図46）。フランドルでは、ルーベンスの共作者でもあったフランス・スネイデルスがこうしたジャンルをさらにダイナミックで華麗なバロック様式に発展させた。

そこでは、人物を圧倒するほどの肉や魚や果物が豊かな色彩によって大画面に表現されている。さまざまな食材が集まる市場は画家の興味をひく題材であり、二十世紀になっても、パレルモの活気あふれる市場を描いたレナート・グットゥーソの作品などがある。

そもそも市場や厨房を描くジャンルが十六世紀半ば以降、急速に発展したのは、聖書的な教訓、あるいは伝統的な宗教主題に支えられたことも大きいが、何よりも成熟した技法によってリアルに描写された食材や料理への魅惑のゆえであったろう。これが北イタリアにも波及し、さらにそこから静物画と風俗画が発生することになったのである。

第4章

静物画——食材への誘惑

4-1 静物画――意味を担う芸術へ

静物画と食物

市場や厨房の絵において、描かれた食物が徐々に中心となり、聖書的な教訓や市場・厨房という舞台設定もなくしてしまったのが静物画である。

静物画の主題で圧倒的に多いのが食物であった。静物画というジャンルは発生のときからずっと食物や食材を描くことによって流行し、愛されてきたのである。したがって、美術史における食べ物の絵を探ることは、必然的に静物画の歴史を振り返ることになるだろう。十七世紀のオランダでは風俗画・風景画と並んで静物画が大流行し、多くの画家が競い合って高度の完成を見た。

静物画という日本語は、英語の still life（動かざる生命）の翻訳であるが、そもそもこの用語はオランダで一六五〇年頃に成立した stilleven という語に由来する。このことからもわかるように、オランダこそは静物画の故郷であった。

ただし、静物画は西洋では長い伝統をもっており、古代にすでに隆盛を見たものであった。ゼウクシスやパラシオスといった古代ギリシアの著名な画家たちが、果物やカーテンなど静物を巧みに描いて人や動物の目を欺いたという逸話が多く伝えられており、絵画の基本理念が元来、自然の模倣であったということをうかがい知ることができる。

つまり、物事を本物そっくりに描く技巧が賞賛され、風景や人物よりも、身近な事物をモチーフにしたもののほうがそれを強調できたことから、一種の静物画が登場したのであろう。基本的に静物画は、長らくこうした写実表現の技巧を誇示する場となった。本物そっくりの絵を「トロンプ・ルイユ（目だまし絵）」とよぶが、本物と見まがうばかりの静物画がいつの時代にも喜ばれたのである。

（図47）ポンペイのモザイク、ナポリ、国立考古学博物館、1世紀

ギリシアの巨匠たちの静物画はひとつも残っていないが、その伝統は古代ローマに受け継がれ、ポンペイ（図47）

やヘルクラネウムの壁画やローマの邸宅の床モザイクには静物表現がいくつも見られる。ローマの博物学者プリニウスが伝えるところでは、古代ギリシアにピラエイクスという静物画の名手がおり、彼は、「床屋の店、靴直しの露店、ロバ、ご馳走といったもの」を描き、リュパログラフォス（くだらぬものを描く画家）と称されたという。

このリュパロス（つまらぬもの）は、西洋の静物画に脈々と継承された偏見であり、伝統となった。しかし、こうした「趣味の低いもの」を扱いながら、その絵は非常な喜びを与え、多くの大家のもっと大きな作品より高く売れたという。

古代の静物画は「クセニア」とよばれるが、著述家フィロストラトスは、イチジク、サクランボ、クルミ、蜂蜜、チーズ、野ウサギといった果実や小動物の絵について詳述している。主に果物、野菜、家禽などをモチーフにした小型の静物画であったようである。

「クセニア」という言葉は本来、主人が宴会に招待した客人に贈る食料や食材のことであり、それを模した絵のことを指すようになったものである。静物画は、その発生の当初から食物を描いたものであったということがわかる。貴重でおいしそうな食材をそっくりに再現し、それをみずみずしい状態に留めていつも眺めていたいという欲求が、こうしたジャンルを流行させたのだろう。

クセニアに求められたこうした役割は、西洋美術における静物画の大半に共通するものである。今では毎日あちこちで目にするおびただしい広告やパッケージには、おいしそうな食品のきれいなカラー写真が載っていて、食品のイメージが氾濫しているため、私たちは食べ物の絵に対して目が慣れてしまっている。そのため、昔の人々が、本物そっくりに描かれた美しい食べ物の絵を見たときの驚きと喜びがどれほどのものであったのか想像するのは困難となってしまった。

西洋美術特有の概念

古代に発した静物画の伝統は、中世に一旦途絶えるものの、中世後期からルネサンスに復活した。十五世紀にネーデルラントで再び生まれた静物表現は、キリスト教的な意味に染められたものになっていた。

表には礼拝する注文主の肖像が描かれており、裏には花瓶に入った百合の花が描かれたメムリンクの有名な作品や、聖母子図の裏に洗面器と水差し、タオルなどが描かれた逸名の画家による作品があるが、これらはすべて聖母の純潔を象徴するものであった。

今まで見てきたように、葡萄（ワイン）やパンはキリストの象徴であり、リンゴは原罪、ザクロは復活を示すというように、特定の事物がキリスト教的な象徴と結びついているのである。日常的な事物に象徴的な意味を込めるのはネーデルラント絵画の伝統といってもよいが、静物画に、物の単なる迫真的な再現にとどまらず、ある意味を伝える記号であるという新たな機能が加わったのである。

西洋美術には、物がある人物の属性を示すというアトリビュート（持物）という概念がある。聖母は百合、ペテロは鍵、パウロは剣、ジュピターは雷、ヴィーナスは薔薇やリンゴというように、神や聖人がそれぞれ特定の物と組み合わされることで見分けられるという図像上の決まりである。また、古代以来、擬人像という伝統もあって、「真実」や「信仰」、「五感」「四季」「四大元素」といった美徳や抽象的な概念を人物と物の組み合わせによって表現する慣習があった。十七世紀には、そこから擬人像が消え、アトリビュートだけが描かれて寓意的な静物画となることが多くなる。

目に見える具体的な物や人に抽象的な概念を重ねるという習慣は、東洋ではほとんど見られない西洋特有の思考法といってよい。中国や日本には漢字という表意文字があり、意味と形態の美の双方を伝えることができるため、書を芸術とする伝統が形成され、擬人像やアトリビュートを必要としなかった。そのため、「仁義」とか「一日一善」とかいう書を掲げればすむのだが、同じ意味を伝えるのに西洋ではいちいち正義やら慈愛の擬人像を作らねばならなかった。こうして静物画は、単なる物の表現であるだけでなく、宗教画や物語画と同じく、意味を担う芸術となったのである。

五感の寓意

そんな寓意的主題のひとつとして「五感の寓意」がある。一般に、着飾った女性や裸婦が五感の擬人像となって五感を表す行為をしている連作である。味覚の寓意としては果物を食べたり、乳を与えたり、ワインを飲んだりする姿で表されることが多い。風俗画の中に五感の寓意を示すことはネーデルラントでさかんに見られ、またルイ・フィンソンやヨハン・ベックといった十七世紀フランドルの画家たちは、《放蕩息子》(図48)として、居酒屋のどんちゃん騒ぎの情景に五感すべてを詰め込んでいる。このとき、味覚が酒や果物、聴覚が歌や楽器の演奏、嗅覚がパイプで表されているのはよいとして、触覚は、放蕩息子が遊女と接吻していたり、その胸をわしづかみにしたりすることによって表されており、この触覚こそがメインとなっている。こうした露骨にエロティックな表現を、「放蕩息子の宴会」と「五感の寓意」という二重の口実によっ

(図48) ヨハン・ベック《放蕩息子(五感の寓意)》ウィーン美術史美術館、1660年頃

て正当化したものであった。

静物画では、ルーヴル美術館にあるフランスのリュバン・ボージャンの絵(図49)が有名である。そこでは、視覚は鏡、聴覚はリュートと楽譜、嗅覚は花瓶の花、味覚は切ったパンとグラスに入ったワイン、そして触覚は小銭入れ、トランプの札、チェス盤によって表されている。

ナポリで活躍したスペイン人画家ジュセペ・デ・リベラは、女性の擬人像ではなく、同時代の市井の人物を登場させる写実的な人物像の連作によって五感を表現した。視覚は望遠鏡をもつ人、嗅覚はタマネギの匂いを嗅ぐ人、聴覚は楽器を奏でる人、触覚は盲目の彫刻家によって表されており、味覚は、精悍《せいかん》そうなナポ

（図49）ボージャン《静物》パリ、ルーヴル美術館、1630年

リの太った中年男が飲み食いしている図である（口絵11）。ワイングラスと瓶を持ち、さらにはチーズをまぶした太くて硬そうなパスタ（マカロニ）の皿やパン、包み紙に入ったオリーブを前にしている。フォークがないのは手づかみで食べるからである。

リベラの弟子であったルカ・ジョルダーノはやはり五感の連作の「味覚」で、リベラの絵にあったのと同じパスタを食べている無骨な男を描いている。皿を手に持ち、そのパスタを手づかみで取ってむしゃむしゃ食べているこの男の口からは、白いパスタが垂れている。傍らにはワイン、パン、ネギが置いてある。これらは、西洋美術史上、食というものをもっとも直接的に表現した作品のひとつである。

五感の寓意という主題が流行したのは、絵画が視覚という単一の感覚にしか対応しないため、ほかの諸感覚をも想起させて、ひとつの世界や小宇宙を表現しようとしたためであろう。とくに静物画は絵画の中でもっとも地味でありながら、物をリアルに描くことによって、味覚や嗅覚、触覚を直接刺激し、視覚の限界を乗り越えようとしたジャンルであったといえよう。静物画の題材のうちでも、食物のほかに、嗅覚に訴える花や聴覚を想起させる楽器がとくに好まれたのもそのためである。

静物画に限らず、西洋絵画に食べ物や飲食にまつわる主題が多いのは、第1章で述べたキリスト教的な意味のためであると同時に、絵画のうちに味覚という快楽を加えて、絵を見る喜びを増幅させるためであったと見ることができるのである。

4-2 オランダの食卓画

ヴァニタス

ネーデルラントの十六世紀の風俗画や博物画の延長に成立したオランダの静物画

は、花の絵と食卓画を二大主題とし、食卓画は「朝食画」から「宴会画」に発展した。

朝食画とは、朝食に限らず、簡素な軽食を描く静物画のことである。

十七世紀初頭、ハールレムで活躍したフローリス・ファン・デイクやフローリス・ファン・スホーテンらを先駆とする。彼らの作品は、チーズ、パン、菓子、木の実、ワイングラスなどを俯瞰的な視点から丹念に描写したもので、均質な光のあたった食材は、その質感までもが見事に再現されている。

フローリス・ファン・デイクの食卓画は評判となり、同時代の批評家に、「あらゆる美食よりも美味な絵だ」と評された。視覚だけでなく、味覚や嗅覚を刺激するのが、作品評価の基準となっていたのである。彼の代表作《チーズのある静物》(図50)には、四つの基本的な味覚が表現されている。リンゴは酸味、チーズは塩味、葡萄は甘味、木の実は苦味である。

一六三〇年代にはやはりハールレムで、ピーテル・クラースゾーンやヴィレム・クラースゾーン・ヘーダらによって、灰色や褐色のようなモノクロームに近い色調で、ニシンや果物を地味な銀や白鑞《しろめ》の器や白いテーブルクロスとともに描く朝食画が確立した。

一六五〇年代になると食卓は徐々に豪華になり、鮮やかな織物の上に、高級な金銀

（図50）フローリス・ファン・デイク《チーズのある静物》アムステルダム国立美術館、1615年頃

食器や中国の陶磁器、異国からの果実や珍しい海産物など高価な食材を描いたヤン・ダーフィッツゾーン・デ・ヘーム、ヴィレム・カウフ、アブラハム・ファン・ベイエレン（図51）らの宴会画が流行する。これはオランダの市民社会の成熟と富の蓄積を背景にしたもので、迫真的な質感や実在感に満ちた堂々たる静物画であった。とはいえ、単に日常的な食物や滅多に見られない贅沢な食卓を写したものであるとはいえない。朝食画、宴会画のいずれのタイプにも、この世のむなしさを戒める「ヴァニタス」の意味がほのめかされているのである。

「ヴァニタス」とはオランダの静物画の主題としてもっとも多いもので、人生のむなしさ、無常観、死の不可避性を警告する主題である。特に死を想起させるものを「メメント・モリ」といい、代表的なモチーフに、頭蓋骨、時計、蝋燭、消えたランプ、楽器、書物などがある。冠、笏、宝石、財布、硬貨などは死とともに消滅する現世の価値を表し、花や果実も短命さや生のはかなさを象徴することがあった。

朝食画の代表的な画家であるヘーダの作品（図52）のほとんどには、ひっくり返った杯（握りの部分に突起のついたルーマー杯）や脚付き盆が描かれているが、これは典型的なヴァニタスのモチーフである。もっとも構成上の理由から、画面内の水平と垂直に対して変化をもたらすために導入されたと見ることもできよう。

ただし、髑髏や時計といったヴァニタスが見られず、ひっくり返った杯だけで、その主題がヴァニタスで中心的な役割を果たすモチーフが見られるのかどうかについては疑問であり、質素な食物やグラスにワインが半分しか満たされていないことなどから、単に過食を戒め、節食や質素倹約を奨励するものであるという見方もある。

宴会画も、やはり贅沢すぎる宴卓への戒めを意味するものであったと考えることができる。贅沢への警告という主題があきらかなものに、「金持ちとラザロ」の譬え話が組み込まれた静物画がある。毎日贅沢に遊び暮らしているある金持ちの門前に、残

（図 51）ベイエレン《静物》ロサンジェルス、カウンティー美術館、1667 年

（図 52）ヘーダ《静物》ハールレム、フランス・ハルス美術館、1636 年頃

（図53）オアシス・ベールト《金持ちとラザロ》イギリス、個人蔵、1605－10年頃

飯をあさっていたラザロという貧乏な病人が横たわっていた。しかしラザロは、死後にアブラハムの宴席に迎えられ、一方の金持ちは陰府に落とされて炎の中でもだえ苦しんだという話（ルカ16：19－31）で、運命の逆転と金持ちへの痛烈な批判を表している。金持ちは生前に周囲にいる貧者に施しをしなさいという慈善行為を勧める主題でもあった。

オアシス・ベールトの作品（図53）には、ワイン、カキ、栗、砂糖菓子などが所狭しと並べられたテーブルの背後にもうひとつの空間があり、そこには宴席の前に裸で座り込むラザロが描かれている。あるいは、テーブルの背後の空間に、死の床にある金持ちの姿が見える作品もある。贅沢な食べ物などに執着すると死後その報いを受けることになるというメッセージが、ネーデルラントに由来する二重空間の手法によって明白に示されているのである。

限りある人生だからこそ

ヴァニタスだけでなく、より直接的に宗教的な意味を表す静物画もある。

宴会画を代表する画家ヤン・ダーフィッツゾーン・デ・ヘームは、華やかな花と果物を組み合わせて、聖餐や復活という教義的主題を表した静物画をいくつも描いた。ウィーンにある作品（図54）には、中央に聖杯があり、その上には聖体が輝いている。その周囲を麦の穂と葡萄が取り巻いているが、麦はパン（聖体）、葡萄はワイン（聖血）を示し、全体として聖餐を象徴する静物画となっている。別の作品では、画面中央には葡萄とザクロ、それに麦の穂があり、画面下部には蝿のとまった頭蓋骨や時計といったヴァニタスのモチーフがあり、そこから磔刑像《たっけい》が立っている。あきらかに、罪と死がキリストの受難によって克服されるという教義が読み取れる。

いずれの作品にも見られる蝶はキリストの復活、そしてサクランボは天国の果実を象徴する。これらの静物画に描かれた食物は聖餐を示すものであり、世俗の快楽を示す宴会画と対極をなすものとして構想されたとも考えられよう。

しかし、多くの静物画にはこれほどはっきりとした教訓性は認められず、ヴァニタスや信仰という寓意からだけでは、当時制作された膨大な食卓画を説明しきれない。宴会画の名手ベイエレンは同時に魚の絵を数多く残したが、そこには寓意や象徴はほとんど見られない。オランダ静物画にどこまで寓意的意味を読み取るべきかについては、研究者の間でも意見が一致しない難問となっているのだ。

(図54) デ・ヘーム《聖体のある静物》ウィーン美術史美術館、1648年

そもそもヴァニタスという主題の典拠とされたのは、「空の空なるかな、すべては空しい」という言葉で知られる旧約聖書の「コヘレトの書」であるが、この書をよく読むと、一切の労苦が空しいゆえに、限られた生における快楽を賛美する記述がある。「太陽の

下、人間にとって飲み食いし、楽しむ以上の快楽はない。それは、太陽の下、神が彼に与える人生の労苦に添えられたものなのだ」（8：15）とか、「さあ、喜んであなたのパンを食べ、気持ちよくあなたの酒を飲むがよい。あなたの業を神は受け入れていてくださる」（9：7）とある。

この世の快楽や栄華のはかなさを描くヴァニタスは、その反面、人生が有限だからこそ貴重なのだと、それらをたたえる意味合いを持っていたようにも思われるのだ。そう考えると、豪奢《ごうしゃ》な宴会画がヴァニタスの表現であったとしても、そこには必ずしも否定的な意味ばかりを見る必要はないのかもしれない。

レンブラント《皮を剥がれた牛》

オランダの静物画に登場するモチーフは、多種多様に見えながら実はきわめて限られている。これは風景画や風俗画にもあてはまることだが、目の前の現実をテーマにしているように見せかけて、扱うテーマは大体決まっており、同じ表現のパターンがいくつもの絵に登場し、ごく限られたモチーフの組み合わせによって変奏されているだけである。

オランダでは、例外はあるが、静物画なら静物画、風景画なら風景画というように専門とするジャンルが画家によって固定していた。需要に応じて類似の絵を大量に制作したためであろう。静物画の場合、圧倒的に多いモチーフが果物であり、花と並んで頻繁に登場する。ニシンやパンといった日常的な食物も登場するが、奇妙なことに、オランダ人の食事で大きな割合を占めていたであろう野菜類はほとんど見られない。ネーデルラントの市場画にあれほど豊富にあふれていた野菜が、オランダの静物画からはほとんど排除されているのである。

（図55）アドリアン・コールト《アスパラガス》アムステルダム国立美術館、1697年

今日ではオランダの食事に欠かせないジャガイモはまだそれほど普及していなかったとはいえ、描かれるのは十九世紀のゴッホまで待たねばならなかった。例外的な画家として、十七世紀末に活躍したアドリアン・コールトがいる。彼は果物や貝殻がひっそりと卓上にある小さな絵を得

意としたが、アスパラガスの一束だけを描いた珠玉のような作品（図55）を残している。暗闇を背景にした繊細な描写によるアスパラガスは、後に述べるスペインのボデゴンを思わせる精神性をたたえている。

肉も、狩りの獲物として描かれることはあっても、食卓画に登場することは少ない。国土の狭いオランダでは、狩猟自体がそれほどさかんでなかったこともあり、ネーデルラントで一般的であった狩りの獲物の絵は十七世紀半ばになってからようやく登場した。狩猟は貴族の遊びとされ、狩猟の絵は社会的地位を誇示するものであった。狩猟の資格のない者にとっては、その絵を所有するだけで優越感が得られたのである。

死んだ猟獣の絵はしばしば描かれたが、肉の絵として注目すべきはレンブラントの《皮を剥がれた牛》（口絵12）である。ルーヴル美術館にあるこの絵は静物画というには大きく、人物もわずかに登場するが、レンブラントの代表作となっており、後に見るスーチンをはじめ後世の画家たちに与えた影響は甚大なものがある。

解体され内臓を抜かれて木枠に逆さに吊り下げられた牛は、荒々しい表現主義的な筆触によって、ねっとりとした絵具を塗り重ねた独特の存在感を見せている。

もっとも、皮を剥がれて吊り下げられた牛は、前に見たアールツェンの肉屋の絵をはじめネーデルラントの市場画やオランダの風俗画ではおなじみのモチーフであり、台所や酒場の奥にはこうした牛の姿がよく見られる。ブーケラールやイサーク・ファン・オスターデは皮を剥がれた豚だけを正面からとらえた絵を描いている。

しかし、レンブラントの作品はそれらと違う宗教的ともいってよい厳粛な雰囲気と並外れた実在感をもっており、キリストの磔刑を象徴するという説もある。皮を剥がれた牛というモチーフはまた、「放蕩息子」の物語の最後の場面にも登場する。悔い改めて帰宅した息子のために、父は太った牛を屠《ほふ》って宴会を開いた。このことから、解体処理された牛のみで、放蕩息子帰宅後の宴会を象徴することもあったのである。

レンブラントの作品は、画家が目にした牛の肉の複雑な色彩や質感に触発され、絵具の物質性を追求し、大まかな筆触による厚塗りの画肌（マチエール）を追求するという技術的な実験と見ることもできるが、そこには同時に、悔い改めた放蕩息子の祝宴の残響を聞くことができるのかもしれない。

こうした特異な作品を別として、食卓画には、野菜や肉はほとんど見られず、木の実、カキやロブスターといった魚介やワインやビールの杯が添えられることはあっても、ほとんどの場合、鮮やかな果物が中心を占めている。野菜は農民の食べ物で、果物は食物の王にして、貴族の食卓にもっともふさわしいという食物観が背景にあったのだろう。

メネルによると、フランスでもイングランドでも、野菜は小作農や労働者の食卓と密接に結び付けられており、上流階級は近世初期になっても長いあいだ野菜を蔑視していたという。いずれにせよ、オランダの食卓画は、オランダ人の現実の食卓を忠実に写したものではなかったのである。

オランダの繁栄と市民の欲望

海洋国家オランダにはアジア、アフリカ、アメリカなど世界中から珍奇な品物が集まり、富裕な市民のあいだにはそれらに投資し、収集するブームが起こった。国土が狭くて投資する土地がなかったせいで、こうした品物や絵画が投資の対象となったのである。

そのため、花や貝や各種標本、陶磁器や食器などの産物や文物が大量に輸入され、収集家は、自分のコレクションを絵に記録させ、また購入できない者は珍しい文物の代替物として静物画を求めた。

当時、静物画はかなりの高値で取引されていたらしいが、これは描かれたモチーフが実際に希少で高価だったことと関係がある。もちろん膨大な量の絵画が市場にあふれたため、安い絵も多く、十九世紀初頭にオランダを訪れたイギリスの作家ジョン・イーヴリンは、農夫でさえ絵を買って自宅にたくさんの絵を飾っていると驚嘆している。オランダという国は国中が絵画であふれている特殊な環境であったのである。

ネーデルラントの市場画に見られた見本市のような性格や博物学的・百科全書的な関心はオランダの静物画でも見られ、花の絵でも果物の絵でも、同じ季節では見ることができないほど数多くの種類が画面に登場している。異国のさまざまな果物を本物と見まがうほど精緻に描いた絵は、富を誇示するものであり、憧れの対象にして現物の代替物であった。

こうした静物画を購入して自宅に飾っていた市民たちは、ほとんど口にすることのないロブスターや色とりどりの果物、手にすることのできないオウム貝の杯や中国の磁器や中東の織物を、絵の中に見出しては所有欲を満足させたのである。

また、画面内のこうした豊富さは、それ自体がオランダの貿易活動の成功と富を物語るものであり、静物画はこれを賞賛するものでもあった。

フローリス・ファン・デイクがよく描いたダマスク織りという麻のテーブルクロスやチーズは、オランダの重要な輸出品であった。朝食画に頻出するニシンは、オランダで日常的によく食べられているから描かれただけでなく、オランダ経済を支えた漁業や海産物産業への賛辞であると考える研究者もいる。オランダの食卓画は、ヴァニタスのような教訓だけでなく、また現実の食卓の光景でもなく、当時の市民たちの欲望を反映したものであった。

4-3 スペインのボデゴン

強烈な宗教性

同じ頃、スペインではボデゴンとよばれる静物画が流行した。これは厨房画と訳されるが、食材や食器を描いた静物画のことである。

第3章で見たベラスケスの《マルタとマリアの家のキリスト》など、この画家のセビーリャ時代の一連の風俗画もボデゴンとよぶが、これはむしろ例外であり、ボデゴンとは普通、人物の登場しない静物画のことをいう。後に宮廷画家となるベラスケスは、ついに純粋な静物画を描くことはなかったが、初期の風俗画にも、すばらしい静物描写だけでなく、人物相互の動作や表情に重点が置かれ、早くも歴史画への志向が

（図56）アロンソ・バスケス《金持ちとラザロ》行方不明、1588－1603年

見られる。

ボデゴンの特色は、オランダ静物画のように豊かさを印象づけることはなく、髑髏や砂時計のようなあきらかな寓意もなく、限られた事物を写実的に描いただけにもかかわらず、強烈な宗教性を感じさせる点である。

スペインではオランダのような市民社会が発展せず、カトリック改革の砦《とりで》として強力な王権が教権と結びつき、厳格な宗教性が社会を覆っていた。そのためオランダのように風俗画や風景画といった世俗ジャンルがほとんど成立せず、宗教主題が美術の中心であり続けた。その中から例外的に生まれた世俗ジャンルであるボデゴンは、きわめて現実的で写実的でありながら、宗教性を色濃く反映することになったのである。

アールツェンの風俗画は一六〇〇年までにマドリードの宮廷に輸入され、版画を通じてベラスケスなどスペインの画家たちに影響を与えた。また、十七世紀にはいるとフランドルのスネイデルスの豪華な市場画や静物画も広く知られるようになった。しかし、こうしたフランドルの絵の華やかさはスペイン絵画に現れることはなかった。世紀の替わり目に登場した画家アロンソ・バスケスの《金持ちとラザロ》(図56)は、二重空間ではないものの、スペイン絵画には珍しくフランドル的な豪華な食卓が見られる貴重な作例だが、あくまでも宗教画であった。

静物画の傑作と聖職者

スペイン静物画の先駆者サンチェス・コタンは、宗教画だけでなく、ひっそりとした雰囲気をもつボデゴンを一六〇〇年頃という早い時期に制作した。そのほとんどの作品に、窓のように漆喰の壁に囲まれた開口部があり、真っ暗な背景の中に野菜や果物が置いてあるだけの簡素な構成が見られる。置かれている野菜や果物の種類が異なったり、果物や家禽が吊り下げられたりというバリエーションがあるばかりで、基本的に同じような漆黒の背景と開口部のフォーマットが守られている（口絵13）。

大きなチョウセンアザミ（アーティチョーク）の一種、人参、キュウリ、キャベツといった野菜、レモン、リンゴ、メロンなどの果物、そして小鳥や山鳥が、ときに開口部に吊るされ、激しい明暗をもって浮かび上がる。野菜や果物を紐で吊り下げるのは、そのほうが腐敗しにくいためであり、日本でも少し田舎に行けば野菜が吊り下げられているのを見ることができる。確固とした存在感を示す事物は、画面に厳粛さと緊張感をもたらしている。開口部は窓のようだが、虚空のような漆黒の背景は非現実的で、静寂さと神秘性を高めている。

画家がなぜこのようなかわりばえのしない静物画を何枚も描いたのかは不明である。彼の静物画は「四旬節のボデゴン」ともよばれ、贅沢を戒め、禁欲や節食を意味するものであるとする見方もある。そうかもしれないが、身近な食材を凝視して丹念に描写したのは、この食材のうちに神の恵みを見たからではないだろうか。描かれた食物は農民や修道士が常食とするものばかりであった。

一六〇三年、彼はグラナダのカルトゥジオ修道会に入るが、生涯を信仰に捧げることになる彼が静物画のうちに厳しく追求したものも、やはり神の世界であったにちがいない。

（図57）バスケニス《台所の静物》ベルガモ、個人蔵、1650年代

このやや後の時代にイタリアのベルガモで活動した静物画家エヴァリスト・バスケニスは、楽器の画家として知られているが、彼も聖職者であった。台所の片隅を克明に描いた作品（図57）も多く、そこではタマネギやエスカルゴ、魚や皮をはがれた家禽が、瞑想的な雰囲気の中で眠っている。リュートやヴァイオリンやハープといった楽器を描いた作品でも、画面には独自の秩序があり、宗教画のような厳粛さと静謐《せいひつ》さをたたえている。

このイタリア最大の静物画家が、サンチェス・コタンというスペイン最大の静物画家と同じく神に仕える宗教家であったことは偶然ではないだろう。身のまわりのどんなつまらぬ物にも神の御業《みわざ》を感じ、それを表現することができる者こそが、静物画の傑作を生み出しえたのである。

静物画史上の最高傑作

サンチェス・コタンが確立したボデゴン様式を継承し、さらに静物画として純化させたスルバランは、「修道士の画家」とよばれ、もっぱら修道院のために宗教画を制作した。彼のボデゴンはわずかしか残っていないが、西洋静物画史上の最高傑作と目されている。

四つの器が真っ暗な背景に横並びに配置された作品（図58）と、やはり真っ暗な背景にレモン、オレンジ、カップが横並びに置かれた作品（図59）の二点がその代表である。いずれも強い光を浴びて、暗闇から物の質感や存在感がくっきりと浮かび上がっている。構成が単純であるため、サンチェス・コタンの画面よりもさらに瞑想的で神秘的な雰囲気を発している。豪華でも貴重でもない日常的な事物を凝視し、その存在を徹底して追求することで、神の造化の神秘性にまでいたったというべき作品である。

美術史家ロベルト・ロンギは、祭壇の上に並べられた礼拝用具にたとえている。後者の、果物のあるほうの作品は、婚礼記念の作品であるという解釈がある。オレンジ

（図 58）スルバラン《ボデゴン》マドリード、プラド美術館、1633 年頃

（図 59）スルバラン《ボデゴン》パサデナ、ノートン・サイモン美術館、1633 年

は結婚の祝いの象徴であり、レモンは水を浄化するもので、カップの水とともに花嫁の純潔を表し、薔薇は彼女の美しさを表すという。この画面の右側の、水の入ったカップと受け皿に薔薇が添えられたモチーフだけを取り出したように描かれた作品がロンドンにあるが、これはおそらく聖母の象徴であろう。前者の、器を並べた作品は、四つの器が微妙な変化を見せて並んでいる。トリアナ焼きとよばれる白い水壺は、壺かららにじみ出る気化熱によって水を冷やす機能があった。ここでも器の中には冷たく澄んだ水が入っているのだろう。ネーデルラント絵画においては前述のように洗面器や水差しが聖母を象徴していたが、この水壺も聖母の純潔を象徴するものであったと考えることができる。

冷えた水は、キリストの次の言葉を想起させる。「はっきり言っておく。わたしの弟子だという理由で、この小さな者の一人に、冷たい水一杯でも飲ませてくれる人は、必ずその報いを受ける」（マタイ10：42）。キリストは常に貧しい者の身内であり、貧しい者にしてくれたことは自分にしてくれたことと同じだと言ったが、冷たい水は、普通の水ではなく、貴重な施しを意味しているのである。

ベラスケスの最後の風俗画である《水売り》（図60）にも冷たい水は登場する。水を買いに来た少年は毒消しか甘味を加えるためにイチジクの入ったグラスを水売りに差

（図60）ベラスケス《水売り》ロンドン、ウェリントン美術館、1620－23年頃

し出している。水売りが手を置いている大きな甕には表面に水滴がついている。

この描写力は感嘆に値するが、これは素焼きの壺の内部からにじみ出た水であり、内部の水が常に汲みたての井戸水のように冷えた状態に保たれていることを示しているのだ。こうした甕に水を入れると、水がにじみ出て、使わなくてもどんどん減っていく。上薬を塗って漏れないようにした壺は、水が減らないかわりに生ぬるくなる。そのため、素焼きの甕に入った冷えた水は、贅沢で貴重なものだったのである。

スルバランは、図37のように聖母や聖人の登場する宗教画においても、静物の細部を丁寧に表現しており、物事の持つ象徴性に敏感であった。彼が残した珠玉のようなボデゴンにも、宗教的な含意があったとしても不思議ではないが、何よりも、厳しいまでの写実性と簡素きわまりない構成をもつ画面そのものが、宗教画に近い瞑想性をもたらしているのである。

サンチェス・コタンやスルバランのボデゴンは多くの追随者を生み、そのままスペインの静物画の特色を形成したが、十八世紀になると、十七世紀にナポリでさかんになった果物や魚介の生気ある静物画の影響を受け、風景の中に配された果物や台所の片隅に置かれた鯛や鮭を古い器物とともに描いたルイス・メレンデスのような優れた画家が輩出した。彼の静物画は十七世紀のボデゴンよりは華やかだが、質感にこだわる徹底的な写実主義は衰えず、かえってそれが画面に非現実的な雰囲気を与えている。

スペインの静物画には、やはり果物がもっともよく登場するが、オランダ人が描かなかった野菜も同じように描いている点が異なる。果物が豊富なスペインでは、野菜を蔑視し、果物ばかりを特権化する価値観は生まれにくかったためだろう。

ゴヤ《わが子を食うサトゥルヌス》

十八世紀の巨匠ゴヤも鮭の切り身、羊の腿肉、死んだ七面鳥といった食材を、マネを予告するような闊達《かったつ》な筆致で描き、スペインのボデゴンの最後を飾った。そのゴヤは、食にまつわるもっとも恐ろしい絵を描いた。《わが子を食うサトゥルヌス》（図61）である。

（図61）ゴヤ《わが子を食うサトゥルヌス》マドリード、プラド美術館、1821－23年

ローマの農耕神サトゥルヌス（ギリシアのクロノス）はわが子に支配権を奪われるという予言を恐れ、わが子を次々に貪り食ったという。この主題はそれほど頻繁に表現されたわけではないが、ゴヤの絵は鬼気迫るものとして一度見たら忘れられない強烈な印象を

放っている。開高健はこの絵を、東西の食の絵の白眉にして筆頭とし、「〝食〟の無残と凄惨の本質が一瞥《いちべつ》で体感できる」と絶賛している。

人肉嗜食《ししょく》（カニバリズム）は、ニューギニアの一部族などに見られるように宗教儀礼となっている社会もあり、戦時糧食として殺した敵の死骸を食べる戦争カニバリズムも古来あちこちで行われてきた。

マーヴィン・ハリスの『食と文化の謎』には、各地の人肉食の例が豊富かつ詳細に記されていて興味が尽きない。十六、十七世紀に南米に宣教に赴いたイエズス会士たちは、アメリカ先住民の食人の習慣について詳細に記録し、あるいは実際にその犠牲者となった。

（図62）ゴヤ《二人のイエズス会士の殉教》部分、個人蔵、1805年

ゴヤは、一六四九年、現在のカナダのケベック近郊で、二人のイエズス会宣教師が先住民に拷問の末殺害されて食べられた事件を想像して一八〇五年に二点の作品に描いた。ひとつの画面では先住民たちが吊るした死体の皮を

剥ぎ、倒れた死体の内臓を取り出し（図62）、もう一方の作品では、裸の男が切り離された首や手首を持って立ちはだかっている。戦争による殺戮、暴行、強姦といった人間の底知れぬ残酷さを見据え、暴こうとしたゴヤは、食人という究極の残虐行為にも強い興味を抱いたのである。

ジェリコー《メデューズ号の筏》

前述のように、キリストの肉の象徴である聖体をいただく聖餐も、食人の暗喩であると見ることもできるが、食人は一般には食にまつわる最大のタブーである。にもかかわらず、東西の歴史には数え切れないほどの食人が記録され、特に中国では四千年にわたる喫人の歴史があった。わが国でも天明の大飢饉のとき一部の地方で人肉食があったというし、太平洋戦争中の一九四三年、知床岬沖で遭難した船長が死んだ少年の肉を食べて生き延び、死体損壊罪に問われて日本中に衝撃を与えた、武田泰淳の小説で知られる「ひかりごけ事件」、近年では一九七二年にウルグアイ空軍所属チャーター機がアンデス山中に墜落したとき、雪山で死体の肉を食べて十六人が生き延びた「アンデスの聖餐事件」や、一九八一年にパリで起こった猟奇的な、いわゆる佐川君事件などがよく知られている。

しかし、美術史上もっとも有名なのは、テオドール・ジェリコーの名作に描かれた「メデューズ号事件」である。この事件は久生十蘭《ひさおじゅうらん》の小説『海難記』の題材にもなっている。

一八一六年、セネガルに向かうフランス海軍のフリゲート艦メデューズ号が座礁し、総督や副官などの要人は救命ボートで逃れたが、乗客百四十九人は大きな筏に乗せられて置き去りにされた。漂流する筏の上ですぐに食料が尽き、争乱や自殺が相次ぐ錯乱状態の中で、人々は死体の肉を食べるようになった。漂流十二日目にようやく軍艦に発見されて救出されたとき、生存者はわずか十二人しかいなかった。

この事件はフランスで大スキャンダルとなり、画家ジェリコーは準備に準備を重ね、入念に構想して大作《メデューズ号の筏》(図63)を一八一九年サロンで発表して大きな話題をよんだ。彼は生存者にインタビューして詳細な事実を聞きだすだけでなく、実際の筏の模型を作り、病院で死体をスケッチするなどして、事件を正確に再現しようと努めた。しかし、こうした試行錯誤の末に完成した作品では、人肉食も飢餓の悲惨さも描かれず、遠方で軍艦の姿を見つけた瞬間の乗客たちのドラマチックな感情表現のみに絞られている(習作の中に人肉食を表すものがあると見る研究者もいるが、判然としな

（図63）ジェリコー《メデューズ号の筏》パリ、ルーヴル美術館、1818－19年

い）。

同時代に実際に起こった事件を歴史画のような大作にまとめ上げた点が画期的であり、新古典主義からロマン主義への橋渡しをした記念碑的作品であるとして美術史上重要視されているが、人間の極限状態を扱っていながらも、力強い群像表現によって英雄的な主題に作り変えられているようである。三島由紀夫はこの絵に、「不快な芝居じみたものを見」ているが、世間の好奇心の焦点であったカニバリズムをあえて避け、より普遍的で劇的な表現を模索したために、大時代的な空疎さをも醸成してしまったようである。

ダリのカニバリズム

あからさまな人肉嗜食の絵は、ゴヤやルーベンスのサトゥルヌスの絵以外にはないといってよい。そんな中で、サルバドール・ダリは、二人の男がフォークやナイフ、スプーンを握って、互いの柔らかい体を食べている《秋の人肉食》（図64）という奇妙な作品を残した。画家自身によると、この作品は、スペイン市民戦争の「悲しい情念」を表したものだという。同じ国民が殺しあう内戦の愚かしさを批判しているようだ。やはりスペイン内戦に関連する代表作《内乱の予感》では、かりかりに揚げたベーコンや柔らかく茹でたインゲンマメといった、従来ほとんど

（図64）ダリ《秋の人肉食》ロンドン、テート・ギャラリー、1936年
© Salvador Dalí, Fundació Gala-Salvador Dalí, JASPAR Tokyo, 2023 G3424

描かれたことのない食物があちこちに配されて不気味な効果をあげている。

ダリは、現実を凝視して神秘性にいたるスペイン静物画の伝統を、二十世紀に再興した画家である。彼は驚くべき細密描写によって漆黒の背景に浮かび上がる籠に入ったパンを何度も描いている。《福音的静物》と題された作品には、魚とパンが横一列の配置で並べられており、スルバランのボデゴンの持っていた宗教性がより明瞭になっている。さらに、大作《最後の晩餐》(口絵14)では、二つに割かれたパンの間に、ワインのグラスが夕日に射抜かれて卓上に美しい光を投じており、三島由紀夫はこれを、「官能的なほどたしかな実在で、その葡萄酒は、カンヴァスを舐めれば酔いそうなほど」であると絶賛している。ダリのこうした作品には、スペインの宗教画と静物画の伝統の厚みが息づいているのである。

4-4 印象派と静物画

シャルダン《肉の料理》と《魚の料理》

オランダの静物画は、とるに足らないものに価値を与え、絵画の可能性を押し広げたといえるが、これをさらに推進して近代絵画への橋渡しをしたのが、フランス十八世紀の画家ジャン・バティスト・シメオン・シャルダンである。前に見た《食前の祈り》(図13)もステーンの作品の焼き直しであったが、シャルダンはこうしたオランダ絵画を吸収してそれをより高いレベルに引き上げ、歴史画に匹敵するような記念碑性と完成度を示した。

シャルダンの静物画には、十七世紀の静物画のような入念な仕上げや緻密な細部描写はなく、独特のマチエール(画肌)やかすれたような筆触と落ち着いた構図によって、手のぬくもりを感じさせるようなやわらかい雰囲気と実在感が与えられている。描かれる対象物は限られており、ほとんど常に台所にあるような身近なものばかりである。

彼は一七三一年に《肉の料理》(図65)と《魚の料理》(図66)という対作品を制作した。これは第3章で見た謝肉祭と四旬節の戦いという中世以来のテーマを下敷きにし

（図 65）シャルダン《肉の料理》パリ、ルーヴル美術館、1731 年

（図 66）シャルダン《魚の料理》パリ、ルーヴル美術館、1731 年

たものだが、どちらもありふれた台所の片隅の光景を捉えたものにすぎない。

使い込んで古びた鍋、壷、フライパンといった道具や、生肉、ニシン、ニンニク、ネギ、卵といった食材は控えめだが、かけがえのないものとして鈍く輝き、それぞれの形態と質感を示している。それらはありふれて粗末であるにもかかわらず、確固たる地位を占め、堂々たる存在感を放って威厳すら帯びている。オランダの朝食画のように入念に構想された簡素な構成のうちに、渋い色調と筆触が画面全体を見事に統合している。食材が想像させる風味や、食欲を刺激するような本物らしさとは異なる、絵具と筆触の生み出す、絵画ならではの味わい深さというものが感じられるのである。下層階級の現実の一端をこの上なく的確に提示していながら、そこには一切批判的な視線はなく、あくまで穏やかで懐かしいような詩情を漂わせる。単なる自然描写ではない絵画的な美によって物の魅力が最大限に引き出されているといえよう。

同時代の批評家ディドロはシャルダンの絵の「自然」と「真実」を絶賛したが、本物そっくりで目を欺くものというより、そこに「絵画の真実」を見出したのである。彼の静物画には、オランダの静物画のような教訓性や、スペインのボデゴンのような宗教性はなく、より近代的な現実性と自然らしさが息づいている。事実、マネやセザンヌといった十九世紀フランスの前衛的な画家たちにもっとも大きな影響を与えたのがシャルダンであった。

マネ《レモン》

単なる写実性でない、絵画上の美を大胆に追求したのが十九世紀後半の印象派であり、その創始者エドゥアール・マネは静物画に特筆すべき成果を残した。オランダの静物画に親しみ、シャルダンを敬愛していた彼は、病気による身体の制約のためもあり、静物画の小品を数多く描いている。そのモチーフはほとんどが花か食物であった。

（図67）マネ《レモン》パリ、オルセー美術館、1880－81年

レモンやメロン、ボラやウナギ、カキといった魚介、ハムの塊、それにアドリアン・コールトの静物画（前述、図55）へのオマージュと見ることのできるアスパラガスの束など、美食家でもあったこの画家の食欲を満たしたであろうさまざまな食材が、すばやく流麗なタッチでとらえられている。

マネはシャルダン以上に物事を緻密で正確にとらえることに執着せず、思い切った筆触ですばやく描いた。オルセー美術館にある《レモン》（図67）は、こうしたマネの大胆さをよく表している。皿に載ったレモンがひとつだけ暗い背景から浮かび上がっている。よく見るとレモンのあざやかな黄色も小気味よいタッチによって微妙な階調を奏でており、これ以上ないというほど単純でありながら、実に味わい深い小品となっている。

マネは、静物画制作を、筆さばきの技法を実験し、色彩の効果や事物間の空間関係を研究するのによい機会であると考えていたようである。にもかかわらず、食物の質感やみずみずしさはいささかも損なわれず、かえって新鮮で魅力的に見える。それがマネの名人芸であり、小品でありながら印象派の技法の模範的な作例と見なされたのである。もはやここには、オランダ静物画の倫理性や、シャルダンの静物画に見られたような社会階層的な生活感も見られず、構成、色彩、筆触の調和による絵画の純粋で豊かな可能性が開示されている。

静物画は、人物の登場する大画面と異なり、事物を画家の思うがままに配置できるため、構成を計算し、追求するのが容易であり、また望む色をした事物を配置すれば色彩の効果も実験できる。そのため、静物画は画家の様式上の実験にとってうってつけのジャンルとなったのである。

マチスとピカソ

マネの静物画によって示された静物画のこうした新たな役割、つまり静物画を造形的追求の舞台とする試みは、セザンヌによって強力に進められ、マチスに受け継がれた。

（図68）マチス《赤の食卓》サンクトペテルブルク、エルミタージュ美術館、1908年

セザンヌにおいては、人物でも風景でも静物でも自分の絵画的理想を追求するための等しいモチーフとなり、その画面の中では、リンゴも単なる赤い円形という造形的な要素に還元されている。リンゴ、オレンジ、タマネギなどの違いも形態と色彩のほかはほとんどない。人物もリンゴもサント・ヴィクトワール山の山塊も、等しくセザンヌの計算しつくされた画面のうちに確たる存在感を放ってゆるぎなく位置しているのである。

セザンヌに深く帰依し、同時にデ・ヘームの宴会画を模写するなど、オランダの静物画をじっくり研究したアンリ・マチスも、静物画によって色彩と構成による造形的な実験を飽くことなく追求した。そのため、事物の固有色でさえ画面全体の色調のために犠牲にし、現実の世界とはまったく異なる絵画の中の調和と秩序を実現するに至った。

一九〇八年の傑作《赤の食卓》（図68）では、大きなテーブルも壁も鮮やかな赤で一面覆われ、それらを縫うように青い装飾模様が走っているが、レモンや果物は単なる色点としてそれらにアクセントを与えるのみであり、屋外の黄色い花と対応している。色彩と線の絶妙な調和がこの大画面を支配し、見る者にこの上ない美的感動を与える。

セザンヌやマチスの静物画は、果物や食物といった物のもつ美よりも絵画の美を求めたものであり、食べ物や食卓は、食欲を刺激し、その魅力を感じさせることを止め、絵画本来の美を展開する口実になってしまったといえよう。そのため伝統的な静物画におけるモチーフから自由になり、セザンヌはそれまであまり描かれなかったタマネギを頻繁に描き、マチスはナスを正面から描いた傑作を残した。

マチスと並ぶ二十世紀美術最大の巨匠であるピカソも、セザンヌの強い影響のもとで試行錯誤し、一九一〇年代初頭に、三次元の事物を二次元の平面に写すために分解するキュビスムという実験を画家ブラックとともに試みた。この画期的な造形的実験の対象のほとんどは果物や瓶や楽器といった物であり、静物画の伝統の上に展開したものであった。

（図69）ピカソ《食堂》サンクトペテルブルク、エルミタージュ美術館、1913－14年

たとえば、一九一三年から一四年の作品《食堂》（図69）は、ナイフやフォークやメニューが画面に平行に並べられたテーブルの一角のような平面作品となっている。キュビスムの絵画は、立体物が平面に移し替えられるとき、周囲の空間は消え、物が解体されて画面と一体化する。そのため、物自体が作品になっているようなものも多く、彫刻とも絵画ともつかぬようなレリーフも制作された。

またピカソとブラックは、新聞やラベルなどの印刷物を画面に直接貼る「パピエ・コレ」を試みたが、こうした実験は、物がそれ自体で芸術となるという二十世紀の静物画の運命を予告したものであった。

4-5　二十世紀の静物画と食物

絵画は一個の物体

絵画はルネサンス以来長らく、窓や鏡のように、その中に奥行きをもった三次元空間があると錯覚させる装置であったのだが、印象派に始まり、セザンヌらのポスト印象派、マチスやピカソを経て抽象絵画にいたる、いわゆるモダニズムの流れでは、絵画は平面にすぎないということが確認され、平面としての純粋性を求めていった。絵画は二次元平面であるだけでなく、一個の物体であるということも認識されるようになった。

二十世紀の前衛芸術の創始者のひとりであるマルセル・デュシャンは、既成の物（レディメイド）でも芸術家が選んで展示するだけで美術作品になるという思想によって、美術に対する概念を揺さぶったが、こうした状況にいたって絵画はその特権性を失い、

(図 70) ジャスパー・ジョーンズ《バランタイン・エール》ケルン、ルートヴィヒ美術館、1960 年
© Jasper Johns / VAGA at ARS, NY / JASPAR, Tokyo 2023 G3424

ひとつの物体になってしまったのである。

デュシャンの影響を受けたアメリカのジャスパー・ジョーンズは、バランタイン・エールという、当時アメリカでもっともポピュラーであったビールの缶が二本、台の上に立っているブロンズ彫刻を発表した(図70)。缶ビールという、従来の彫刻では考えられなかった対象をテーマにし、そして缶というもともと立体であったものをわざわざ伝統的な彫刻素材であるブロンズで模して作ったことが斬新であった。

同時に彼は、星条旗や標的といったもともと平面である対象をカンヴァスに荒々しい筆遣いで描くことによって、絵画や彫刻の意味を問うと同時に、現代社会のイメージや事物が新たな主題となることを示したのである。彫刻は缶と同じ物体にすぎず、絵画は旗と同じ平面にすぎない、したがってその主題も缶や旗など日常目にする通俗的な物やイメージであってもよいのだ、という彼の明白な主張は若いアーチストたちに新鮮な衝撃を与えた。

ウォーホルのキャンベル・スープ缶

そのうちの一人アンディ・ウォーホルは、一九六二年にキャンベル・スープの缶（図71）を描いた三十二点の連作を発表した。これが、大衆消費社会の商品やイメージを題材にするポップ・アートのはじまりであった。

缶詰は、十九世紀初頭にフランスで発明された瓶詰めにヒントを得てイギリスで開発されたもので、二十世紀にはアメリカが世界最大の缶詰生産国になった。キャンベル・スープは、日本でも少し大きなスーパーマーケットや輸入食品の店に行けば目にするもっとも一般的なアメリカの濃縮スープの缶詰である。

いろいろな種類があり、ベジタブル、オニオンなどコンソメ系と、コーンクリーム、クラムチャウダーといったクリーム系に分かれる。作り方は簡単で、小鍋に缶の中味を空け、空いた缶に、コンソメ系には同量の水、クリーム系には同量の牛乳を入れて

（図 71）ウォーホル《キャンベル・スープ缶》ニューヨーク近代美術館、1962 年

鍋に注ぎ、それを温めるだけである。計量カップではなく缶をそのまま使えるところが便利だ。都会の忙しい勤め人や一人暮らしの食事には、これとパンだけで十分であろう。

　日本では一つ二〇〇円前後で売っているが、それほど人気があるようには見えない。スープとパンという食事が定着していないせいか、また粉を湯で溶くだけのカップスープにくらべて小鍋を使うなど手間がかかるせいであろうか。もしウォーホルが取り上げてポップ・アートの代名詞になることがなかったら、日本ではもっと知られていなかったにちがいない。味は人工的で嫌いという人もいるが、いかにもアメリカといった味つけであり、たまにはウォーホルに思いを馳せて食べてみるのも悪くないと思う。

　キャンベル・スープの缶の連作の三十二点というのは、当時発売されていたこのスープのすべての種類である。ジョーンズのように彫刻ではなく、描かれたものである。

後にウォーホルはシルクスクリーンで写真をカンヴァスに転写するようになるが、それにはステンシル（型紙）を用いて缶の表面の意匠が忠実に再現されている。缶という物体にしてスープという食べ物を描いた静物画であるといってよい。デュシャンからジョーンズを経てウォーホルにいたって、静物画に新たな意味が与えられた。それは、美術作品の隠喩、あるいは代替物としてのモノという意味である。モノは手にとって自由に動かすことができるが、絵画も彫刻もそういったモノの一種類にすぎない。その結果、モノ自体が美術作品にもなりうることとなり、モノと美術とは親近関係にあると見なされるようになった。

伝統的な静物画は、絵画の中に虚構の空間を見せるものであったが、新たな静物画は、絵画が直接モノに同化したようなものであった。さらに二十世紀になって美術作品が大きな市場で取引きされるようになると、作品はモノと同様、商品にもなったのである。

§

ウォーホルのキャンベル・スープ缶のシリーズがロサンジェルスのフェラス画廊ではじめて発表されたとき、壁面に小さな棚を作って、あたかも商品のように一列に並べられて展示された（図72）。

（図72）ウォーホル《キャンベル・スープ缶》はじめての展示風景、1962年

それらは、芸術作品というよりも商品のように受け取られたようである。近くにある別の画廊ではこれに対抗して、実際にスーパーマーケットで買ってきたキャンベル・スープ缶を大量に並べ、「当方の方が格安！　三個で六〇セント」などという札をつけて販売しようとしたという。

伝統的な芸術観からすれば、スーパーで売っている缶詰を描いた絵など、静物画とは考えられなかった。静物画というものは、今まで見てきたように、写実的に自然を写したものでありながら、実はかなり限られた物しか取り上げることがない、非常に狭い主題範囲のジャンルであった。

果物は食物の王、貴族の食べ物として長い間画面の主役として君臨し、パンは主の聖体の象徴として尊重されたが、野菜、とくに芋やカブなどの根菜はほとんど描かれることがなかった。今でも、油絵を習い始めたばかりで何かを描こうとすると、タマネギやニンジンではなく、花か果物を写生しようとする人が多いのもそのためである。まして缶詰を写生することは稀だろう。静物画のモチーフは驚くほど限定的であり、長い因習による呪縛には根強いものがあるのだ。静物画に限らず、芸術はすべて意外に狭い領域を守るものである。

ウォーホルの斬新さ

しかし、ウォーホルは身近な現実こそが美術のテーマにふさわしいと感じたのであった。そもそもなぜキャンベル・スープ缶を描いたのかと問われた彼は、「なぜなら私は毎日それを食べていたからです」と答えたという。

大衆消費社会では、人種も貴賤も区別もなく、人々は同じ大量生産の食品をスーパーで買い、同じように調理して食べている。それこそが民主主義社会のあるべき姿であった。

こうした平等な社会に合わせて、絵画も旧来の特権的な主題だけでなく、缶詰やコカ・コーラの瓶のような大量生産の商品を表すのが当然であり、また富裕な個人に注文された肖像画ではなく、マリリン・モンローやエルヴィス・プレスリーのように誰でも知っている映画やテレビのスターを描くことが自然であった。そして、それらを描いた作品も、商品として社会に流通するのである。

ただし、缶詰の絵もスターの絵も、静物画と肖像画という既成のジャンルの上に成立したものであり、美術史の伝統を下敷きにしていることは銘記しなければならないだろう。もし、長い静物画の伝統がなければ、モノを絵にするという発想自体が起こらなかったであろうし、その伝統があまりにも強固であったために、ウォーホルの試みの斬新さが際立ったのである。

ポップ・アートは現代の消費文明に生きる人々の美意識に合致し、たちまち大きな人気を博した。大量生産されてパッケージされた食品は、大衆消費社会のシンボルであったため、ポップ・アートの中核をなすモチーフになったのは当然であった。漫画のひとコマを拡大してカンヴァスに描いたことで知られるロイ・リクテンスタインは、冷蔵庫やオーブンといった電化製品の広告についている簡略なイラストを大きな絵にし、ジェームズ・ローゼンクイストは食品のパッケージや広告のイメージを、本来の意味を剥奪して看板のような大画面に拡大して描き、トム・ウェッセルマンはコーラの瓶や菓子の箱の並んだ典型的なアメリカ中産階級の部屋を再現し、クレス・オルデンバーグはいかにもアメリカ的な大量生産のケーキやハンバーガーを大きく柔らかい立体作品にした。

ポップ・アートの意味

人類の歴史の中で、食料が安定して供給されるようになったのはそれほど古いことではない。凶作による飢饉にいつ襲われるかわからない不安定な時代、人々は静物画の中の豊かさに安心感を求めたのである。

現代の資本主義社会ではこうした不安はすっかり払拭され、中流市民でも飢餓の恐怖とは無縁に美食を求めることができるようになった。鉄道や航空機によって食糧の広範な流通が可能となったことや、十九世紀半ばに発明された冷凍技術や缶詰によって食料が保存・備蓄できるようになったことがその要因である。豊富な食物がいつでも購入できるスーパーマーケットも、アメリカでは一九三〇年代以降、急速に普及していた。六〇年代には、コールドチェーン（低温流通機構）という、食材の輸送・保管・

加工のシステムが地球規模で成立した。先進工業国ではいわゆる飽食の時代が始まったのである。こうした豊かな時代を謳歌《おうか》し、賞賛したのが、一九六〇年代のポップ・アートであったといえよう。

ポップ・アートの典型的なモチーフが缶詰や瓶の飲食物となったのは、それらが大量生産されて社会の隅々にゆきわたっていること、そして購買者の目をひきつけるべくパッケージのデザインがそれ自体美しいものであったことのほかに、それらが、腐りやすいリンゴとちがって、ずっと保存でき、いつでも好きなときに摂取できる安定感を与えるものだからであった。明るい未来を保証し、便利で豊かになった社会をこれほど象徴するものはない。

もちろん、後に見るように、ウォーホルたちはこの豊かさの裏にも古来変わらぬように死と危険が潜んでいることも鋭く感じ取っていた。

第5章

近代美術と飲食

5-1 屋外へ出る食事

雅宴画——理想化された楽園風景

第2章で見た放蕩息子の宴会は、十七世紀になると主にフランドルで庶民的な居酒屋や娼家ではなく、屋外のテラスに設定され、貴族風の男女がダンスをしながら語らう場面となることがあった。こうした野外での貴族嬉遊図や歓談図はやがて教訓的な放蕩息子の存在を必要とせず、また中世に聖母の純潔を象徴する「閉ざされた庭」の図像伝統と融合して、「愛の園」とよばれる主題となった。

ルーベンスの作品が代表的なものである。恋人たちが散策し、座り戯れており、愛の神クピドが舞い、あるいはその彫像が噴水の上に載っている庭園の情景は、一種の理想郷の表現であった。そして、男女の愛の語らいのほかは、宴会の酒も料理も目立たなくなった。

十八世紀のフランスではこの種の風俗画が流行した。そもそも「風俗画（ジャンル）」という名称もこの頃やっとフランスで定着したものであったが、とくに貴族や上層市民階級の男女が木立や噴水のある美しい自然の中で集い、語らう主題は「雅宴画（フェート・ギャラント）」とよばれるようになった。

雅宴画の創始者ワトーは飲食の情景をほとんど描かなかったが、その後継者であるニコラ・ランクレは何度も田園の中での宴会の情景を描いた。

（図73）ランクレ《ハムのある昼食パーティー》ボストン美術館、1735年

そのうちの一点では、古代彫刻のある庭園のような場所で、貴族の男女が大きなテーブルを囲んで宴会をしている（図73）。一人の男は立ち上がってテーブルに足をかけて酒を注いでおり、ほかの男も自分で酒を注いでいるが、全体に乱れた姿勢である。手前の地面には、残飯をあさる犬のほか、割れた皿や瓶が散

乱しており、もう相当に飲んでいることがわかる。テーブルの中央には大きなハムの塊があり、これがこの宴会のメイン料理なのであろう。男女の背後にはデザートの果物の盆をもって運ぼうとする二人の給仕が見える。

貴族が外で食事をするのは、貴族の最大の遊びである狩猟のときである。カルル・ヴァン・ローの《狩猟の合間の昼食》（図74）には、狩猟の合間に食事をとる貴族の男女が生き生きと描かれている。陶器の皿やワインのグラスがあり、大きな肉のパイを切ろうとする者、ローストした何種類もの肉が見える。画面左には黒人の給仕が描かれている。

この作品はフォンテーヌブロー城の食堂を飾るために描かれたものだが、風景は単なる書き割りのように類型的で、宮廷の延長のような食事風景である。ジャン・フランソワ・ド・トロワの同じ主題の作品では、白い布をかけたテーブルまで持ち出され、本格的な宴席となっている。森の中ではあるが、画面右には別荘のような建物から使用人が出入りしており、そこで調理されているのがわかる。

こうした雅宴画は、農民風俗画とは逆に、当時の貴族のありのままの姿というより、こうありたいと願うような理想化された一種の楽園風景であった。鑑賞者も描かれたのと同じ貴族であったとはいえ、田園で美女に囲まれてご馳走を食べる機会はそれほど持てなかっただろう。描かれた場所も人物も特定のモデルのいない類型化したものであり、芝居の舞台のように現実味を欠いた世界であったのである。

男女が理想郷で戯れる優雅な雅宴画は、十九世紀の市民社会とともに、現実的な情景に変貌する。それは、戒めや教訓ではなく、また理想や憧れでもない、ブルジョア市民たちの日常的な営みを写したものであった。

（図74）カルル・ヴァン・ロー《狩猟の合間の昼食》パリ、ルーヴル美術館、1737年

この頃、郊外にピクニックに出かけて屋外で飲食することが流行し、それらを主題とする絵画が制作されるようになる。それらは十六世紀に発生した農民風俗画の系譜に位置づけることもできそうだが、描かれた人物たちと絵を見る観者とが同じ階層に属しているため、やや異質のものであると見るべきである。むしろ、十八世紀の雅宴画の延長にあるもの

であり、風景表現に重点を置いている点で十六世紀にヴェネツィアのジョルジョーネが創始した牧歌的風景や、十七世紀のクロード・ロランに代表される理想的風景画にも近いものであった。ようやく、飲食の情景を、宗教や教訓から脱して市民生活のひとこまとして客観的に眺められる視点が成立したのである。

マネ《草上の昼食》——近代絵画の幕開け

屋外の食事風景を扱い、近代絵画の始まりを告げる美術史的にも重要な作品が、マネの《草上の昼食》(口絵15)である。当初は《水浴》と名づけられ、一八六三年のサロンに出品して落選したこの作品は、「落選展」に出品され、ナポレオン三世から「不謹慎だ」と言われたのが話題となり、批評家たちからも手厳しい批判を受けた。生々しい現実的な裸の女性が着衣の男性といっしょにいることが不謹慎と感じさせ、スキャンダルとなったのである。

ピクニックに来た二組の男女が森の中で昼食をとった後の情景であり、一人の女は奥にある川で水浴びをしたところである。手前にいてこちらを見る女はもう川から上がったのであろうか、裸で座っている。女に比べて二人の男はきちんと盛装し、ネクタイまでつけている。左の手前には彼らが食べちらかした昼食が残っている。草の上に丸いパンが落ちており、バスケットからは果物がこぼれている。

第4章で見たように、マネは静物画の名手であったが、ここでもその技術が遺憾なく発揮されている。ただし、ここに描かれたサクランボとイチジクは、それぞれ春と秋の果物であるため、これらの静物は現物をそのまま写したというより、アトリエで時間をかけて再構成されたものであることがわかる。

パンと果物だけの食事だったように見えるが、チーズやハムもあったであろう。バスケットの近くに入れ物らしきものが見えるが、そこに入っていたのだろうか。やはりここでも食事の中心は果物であり、西洋の静物画の伝統を感じさせる。果物とパンしか見えないことも奇妙だが、それ以上に、ワインなど飲み物がないのが変である。こうした場合、酒は欠かせないはずである。この絵がサロンに出品されたときのタイトルは《水浴》であったため、手前にある昼食のモチーフには重点が置かれていなかったのだろう。

後述するモネがやはり《草上の昼食》を描いた翌年の一八六七年、マネは個展を開き、モネに応えるかのようにこの作品のタイトルを《草上の昼食》に変更したのであった。

人物と周囲の自然との組み合わせも不自然であると指摘されてきたが、人物と自然は別々に写生されたのだろう。それ以上に、当世風の男とヌードの女が同時に森の中にいる状況が違和感を与えている。

マネは、当時はやりつつあったピクニックの風景を表現するにあたって、ジョルジョーネの有名な《田園の奏楽》や、ラファエロの原画にもとづくライモンディの版画《パリスの審判》を下敷きにしていた。ジョルジョーネの作品では、森の精であるニンフと当時の服装をした男が二人ずつ、牧歌的な田園で楽器を奏でている。全体を夕暮れのようなやわらかい光と影が包み、風景と人物とは完全に調和している。マネはこうした理想的風景や神話世界を現代に置き換えようとしたのである。

ニンフならぬ現実の女性たちが裸体であることを正当化するために背景に川を配し、水浴びの後という設定にした。そして、男女が田園で笛を吹いたりリュートを弾いたりする情景は現実的でないと考えて、昼食をとったときの情景にしたと考えられよう。にもかかわらず、作品は不謹慎で品のない情景であると酷評された。

その大きな理由はヌードの存在だけでなく、ジョルジョーネの絵のようなやわらかい明暗の階調をほとんど排して、フラットな色面のような描き方をしたためである。手前の裸婦にはほとんど陰影がなく、そのため妙に現実的に見える。そもそもヌードには、全体を微妙な陰影で包みこむ、いわゆる名画風の描写が必要であったのに、白日のもとにいる現実の裸婦をそのまま描いてしまったように当時の人々には感じられたのである。しかも、裸婦は絵の中の世界で完結するのではなく、こちらを見ているために、観者はより落ち着かない気分になる。

マネ自身はスキャンダルをねらったわけではないが、古典的な主題を現代の風俗に焼き直し、現実の明るい光のもとで見えるがままに描くという試みは革新的であった。ここから、目の前の光景に向き合う印象派が起こったのである。

明るい光を求めてカンヴァスとともに屋外に出た印象派の画家たちは、しばしばマネにならって陽光のもとで食事する人々を題材に選んだ。当時、鉄道が発達したことにより、市民が休日に郊外に出かけたり、小旅行にでかける習慣ができた。同時代の風俗や実際の風景を題材とする印象派の画家たちも、その題材を郊外の田園やリゾート地に求めることになったのである。

モネ《草上の昼食》　ルノワール《舟遊びたちの昼食》

一八六六年、モネは十二人もの男女が森で昼食をとる大規模な《草上の昼食》を描

（図75）モネ《草上の昼食》モスクワ、プーシキン美術館、1865－66年

いた。この大作は結局サロンに出品されず、画家の手元に留め置かれ、傷んだため三等分に切り離され、左の二画面のみが残されることになった。

全体の構成や雰囲気はモスクワのプーシキン美術館にある習作（図75）から判断することができる。モード見本の版画からとられたファッショナブルな男女がフォンテーヌブローの森を題材にした木立の中にたたずんでいる。彼らの中央に大きな白い布が広げられ、そこで昼食が準備されている。手前にはやはり果物が広がり、リンゴや西洋梨や葡萄が見える。その後ろにはバスケットがあり、その隣には大きな鶏肉らしき塊が見える。大きなフランスパンや二本のワインの瓶やグラスも置いてある。肉もワインもあり、先例としたマネの昼食よりまともな昼食になっているのがわかる。しかしやはり果物が大きな位置を占め、それ以外は乏しく、画中の全員が食べられるのか疑問である。十二人に対してワインがたった二本しかないというのも足りないようである。

モネのねらいは、森の木漏れ日に照らされた人物と周囲の自然の調和であったため、食料などは二の次だったのだろう。マネの作品以上に人物たちは風景に同化し、全体を明るい光が統一しているが、マネのように古典作品を踏まえていないためか、構図のまとまりに欠け、散漫な印象を与える。

モネの友人であったルノワールが描いた《舟遊びたちの昼食》（口絵16）は、森の中ではなく、明るい水辺のテラスが舞台となっている。セーヌ河畔のリゾート地のレストランを舞台にしており、テラスの外にはセーヌ河に浮かぶ小舟が見える。画面では、舟の漕ぎ手、店の主人とともに着飾ったパリの男女が談笑している。昼食はもう終わったらしく、テーブルの上にはデザートの果物が見え、グラスや瓶のワインもあまり残っていない。

ここでも、メインの食事風景は回避され、果物が主役となる昼食後の情景が選ばれているのである。ワインの瓶はモネの絵に比べると多く、画面中央の奥にはグラスを傾ける女性も見える。しかし、何かを食べている者はどこにもいない。ルノワールの関心が食事の内容ではなく、お洒落な男女の織り成す華やかな雰囲気にあったのはあきらかである。

この作品は、享楽的なブルジョアの生活風景の再現というだけでなく、それが陽光の明るさや、やわらかい筆触や暖かい色彩の効果などと見事に調和して傑作となっているのである。食卓は、人々の活発な会話と微笑みを引き出す舞台にすぎず、画家も鑑賞者も食事の内実などは関心の埒外《らちがい》だったようである。

モネが人の営みよりも自然と光の表現に主な関心があったのに対し、ルノワールは自然よりも人間に強く惹かれていた。いずれの場合も食物や食事の内容は軽視されている。

しかし、食事というものは自然の中で行われても、たちまちそこを親密な場に変えることができる。食事は人と人とを結びつけるだけでなく、自然と人間を結びつける力をもっているのだ。花見はもちろん、遠足での一番の思い出は昼食のときであるし、ピクニックやハイキングにはランチ、アウトドアにバーベキューがつきものなのはそのためである。マネからルノワールにいたる印象派の画家たちが、風景と人物、外光と人間の動作、自然と人為、田園と都会、伝統と現代風俗などを調和させる主題として、屋外での食事の情景を選んだのはごく自然なことであった。

5-2　家庭とレストラン

マネ《アトリエでの昼食》　モネ《昼食》《夕食》

印象派の画家たちは屋内の食事風景も描いた。マネが一八六八年にブーローニュ・シュル・メールで描いた《アトリエでの昼食》（図76）は謎めいた作品であり、昼食といいながら、どこにも食事をしている人物はいない。テーブルの上にはカキとレモン、ワインの入ったグラスがあるが、座っている男は煙草をふかしており、中央の少年はテーブルに寄りかかって立っている。二人の男は室内にもかかわらず帽子を被り、きちんとした服装をした少年はこれからどこかに出かけるような素振りである。その背後には、コーヒーを運んできたメイドが立っており、食事の終わりの段階であることを示している。画面左には、武具甲冑《かっちゅう》が乱雑に置いてあり、ここが歴史画を描く画家のアトリエであることを示唆する。テーブルの

（図76）マネ《アトリエでの昼食》ミュンヘン、ノイエ・ピナコテーク、1868年

上にあるレモンは皮が帯状に剥かれているが、これはオランダ静物画に頻出するモチーフであった。テーブルからこちらに突き出たナイフも、ルネサンス以降長い伝統をもち、静物画のおなじみのモチーフである。

この食卓の描写はマネが傾倒したオランダ静物画へのオマージュといえよう。真ん中の少年は都会風に洗練された同時代の風俗を代表し、彼が歴史画と静物画にはさまれているという寓意だとすれば、この絵はマネの絵画世界を寓意的に表すものであると読むことも可能だろう。

マネの絵が描かれた同じ年にモネは、ノルマンディー海岸のエトルタで

《昼食》と《夕食》を制作した。いずれも画家の家族が室内で食事をする光景である。一八七〇年のサロンに落選した大作《昼食》（図77）では、幼い息子がスプーンを握り、隣の母親のほうを見ている。窓際には外出時のような服装をした女性がおり、奥には部屋を出て行こうとするメイドがいる。手前には誰も座っていない椅子があるが、これは画家が座るためのもので、あたかも主の到来を待っているようである。テーブルの上には新聞「ル・フィガロ」紙が置いてある。

(図77) モネ《昼食》フランクフルト、シュテーデル美術館、1868年

《昼食》は、同じ画家の《草上の昼食》よりも克明に食べ物が描写されている。テーブル中央の大皿はジャガイモと肉の料理だと思われるが、それ以外は、ゆで卵、パン、葡萄であり、サラダのようなものも見える。赤ワインと水の瓶とグラス、ビネガーとオイルの

（図78）モネ《夕食》チューリヒ、ビューレル・コレクション、1868－69年

瓶も置いてあり、実際の食卓を写したものと思われる。モネはグルメとして知られており、後に詳細なレシピを書きとめたノートすら残している（『モネの食卓』として邦訳あり）。

一方、《夕食》（図78）ははるかに小さな画面で、明かりに照らされた室内で夕食をとる一家がすばやい筆触でとらえられている。《昼食》と同じ部屋を別の角度から見たものだろう。パンとワイン以外は判然としないが、右側の女性がスプーンを口に運んでおり、スープがあることがわかる。

《昼食》では左側の窓からさす陽光によって隅々まで明るい室内と食卓の静物画的細部まで克明に描写されていたのに

対し、《夕食》ではこうした細部は一切省かれ、人工的な光と暖炉の火によって照らされた夜の室内が大づかみな筆触で再現されている。

いずれも、画家の居住空間と家族をモデルにしているせいか、人物相互が無関心なマネの絵の食卓とは対照的な、親密で暖かい雰囲気を醸し出している。画家がこうした食卓の情景をとりあげたのは、室内における光の効果を描くという試みのためだけでなく、食事をともにすることこそ家族の愛情を確認する場であったからであろう。

飲食の舞台はレストラン、カフェへ

パリでは十八世紀末にレストランが成立して社交（ソシエテ）の場となり、さらに十九世紀になると庶民や学生を対象とした安い定食屋やカフェも林立するようになる。こうした都市の飲食店が、屋外や家庭以外の飲食の舞台として重要となった。ルノワールやマネはいちはやくこうした場での男女の姿を表現した。レストランは開かれた公共空間であると同時に、それぞれのテーブルで完結した私的空間でもあり、仲間と会食するにぎやかな社交の場であると同時に、孤独を強調する空間でもあった。こうしたレストランのもつ両義的な性格は、さまざまな人間ドラマの舞台にふさわし

(図79)ドガ《アブサン》パリ、オルセー美術館、1875－76年

いものであり、文学や美術の格好の舞台となったのである。

ルノワールは屋外のテラスでも室内のレストランでも食事の情景を描いたが、いずれも食事よりも会話に興じる男女の優雅な振る舞いや表情や衣装に焦点を当てている。

マネの《ラテュイユ親父の店》では、一人の男がしきりに隣の女性を口説いている。背後にはコーヒーポットを手にした給仕が立っており、食事の終わりを告げようとしているが、男はまだワインのグラスを手にしており、食事時間を引き延ばそうとしているかのようである。

ドガが描いた有名な《アブサン》(図79)では、カフェの一角で男が絵の外の方向を向き、女は安い蒸留酒であるアブサンのグラスを前にしてうつろな表情をしている。二人の恋は冷め、孤独と倦怠感が漂っている。マネの最後の傑作《フォリー・ベルジェールの酒場》では、カウンターの中にいる売り子が放心したように立っており、背後の鏡に映った店内の華やかさと切り離されているようである。客に話しかけられているにもかかわらず、疲れたような表情をしたこの女性は、都会に生きる人間の孤独をよく物語っている。

(図80) ゴッホ《アルルのレストラン》個人蔵、1888年

ゴッホは例外的に、人のいないパリのレストランのこぎれいな情景を描いており、またアルルのレストランを描いた絵(図80)でも人間の姿は奥のほうに押しやられ、誰も座っていないテーブルを大きく描いている。同じくアルルで描かれた有名な《夜のカフェ》でも、客の姿は奥のほうに偏って小さくなっており、誰も座っていないテーブルばかりが手前に描かれている。あたかもゴッホ自身がこうしたレストランで感じた孤独を表しているかのようである。《馬鈴薯を食べる人々》において、食べる

（図81）エドワード・ホッパー《ナイトホークス》シカゴ、アート・インスティテュート、1942年

ことの本質にとりくみ、その宗教性にまで到達したゴッホが、異国のパリやアルではその関心を喪失してしまったかのようである。

このように、レストランやカフェを題材にしたものは、人間関係、とりわけ男女の関係や人間の孤独感など、もっぱら人間のドラマに重点が置かれ、食事や飲食のことに関心が向けられることはほとんどなかった。この傾向は、世紀末のムンクなどを経て二十世紀になってもかわらなかった。

アメリカでもっとも愛されている絵といわれるエドワード・ホッパーの《ナイトホークス》（図81）は、ハードボイルド映画の一場面を見るような物語性を感じさせる。夜の片隅にいる孤独な客と疲れた男女、無口なマスターといった登場人物が織りなす無言劇の舞台として、町外れのカフェほどふさわしい場はなかった。

文学においても、エミール・ゾラの『居酒屋』のように、詳細な料理の描写が登場する飲食小説の傑作もあったが、多くの場合、食事の場面といえばほとんどが人物たちがレストランで会食する社交風景に重点が置かれた。屋外であれ室内であれ、十九世紀の市民たちの食事の情景を描いた絵画では、飲食は風景や人間の添え物、あるいは舞台背景にすぎなかったのである。食べ物は前の章で見たように、あいかわらず静物画の中心的モチーフであり続けたが、それは造形的追求の舞台としてであって、食べるという行為から切り離されてしまったのである。

美術において食べることを正面からとらえる主題が少なくなったのは、美術のあり方や目的が変化したことだけでなく、十九世紀以降、食糧供給が安定してきて、食べられるかどうかが人間の主要関心事でなくなったこと、また近代社会になってキリスト教的な宗教性が薄れ、宗教美術への需要が減少したことにも関係があるだろう。庶民でさえ金さえ出せばレストランで豪華な食事をし、珍しい食べ物も容易に口にすることができるようになると、美術のうちに食への理想を求める必要はなくなったのである。

5-3 貧しき食事

「その日暮らし」の一家を描く

郊外でのピクニックや都会のレストランでは、食事を楽しむことよりも人間関係が重視され、文学や美術でもそうした面ばかりが強調されたと述べた。一方、日々の食事にも事欠く貧困層にとっては、食事はあいかわらず人間関係よりも重要な存在であった。貧困層に目を向けた芸術家も、食事のもっているこうした一面をとらえている。

産業革命後の工業化した都市では、労働条件や居住空間の衛生といった新たな社会問題が発生していた。エンゲルスは十九世紀半ばのイングランドの労働者の食べ物について報告したが、労働者の食事は賃金によって左右され、よい賃金を得ている労働者は毎日肉を食べ、夕食にはベーコンとチーズがあり、それよりも低賃金の場合、肉は細かく切ってジャガイモとまぜたベーコンの切れはしにまで減少し、さらに下になるとベーコンは消え、パン、チーズ、穀物粥、ジャガイモになり、最下層ではジャガイモが唯一の食べ物となっていた。そして失業者と低賃金労働者は、ジャガイモの皮、

（図82）トーマス・フェード《手から口へ》ハートフォード、ワズワース・アシーニアム、1879年

野菜くず、腐った野菜まで食べたという。

　こうした社会変動が顕著に見られたヴィクトリア朝のイギリスでは、新たに生じた都市の下層民に目を向けてそれを描く画家たちが登場した。スコットランド出身の画家トーマス・フェードは、印象派と同時期の画家であるにもかかわらず、その様式が保守的で前衛的ではないため、美術史上はほとんど重視されないが、当時の貧困を主題の中心に据えたことは注目に値する。彼は、フランスの写実主義の画家クールベの影響を受け、社会の底辺に生きるホームレスや旅芸人を扱った作品を数多く制作した。

　そのうちの一点、《手から口へ》（図82）はまさに英語の用語「その日暮らし」の一家を描いたものである。食料品店に、貧しげな一

（図 83）ルグロ《食事をする貧民》ロンドン、テート・ギャラリー、1878 年

家が訪れている。紐につないだ猿と笛をもった息子の猿回しの芸によって生計を立てている旅芸人であろう。娘は疲れきって椅子にへたりこんでいる。

その隣には、きれいに着飾った貴婦人が娘とともに座っている。その娘は猿回しの猿を恐がるように顔を背けている。その後ろには黒人の召使が飼い犬を連れている。その食料品店のおやじは、旅芸人のほうを胡散《うさん》臭げににらんでいる。

同じ店にいながら、階層の違いを表現したこの作品は、当時の貧富の差を強調したものである。似たような主題では、鉄道の一等車と二等車を対照的に表現した作品もあり、ヴィクトリア朝の絵画にはしばしば表れる主題であった。

フランスの画家アルフォンス・ルグロも、印象派の明るい食卓とは一線を画し、農民画家ミレーの影響を受けながらも、ミレー以上にシビアな社会性をもつ作品を残した。グロヴナー画廊で発表された作品《食事をする貧民》(図83)は、スープとワインあるいは水だけの食事をするわびしい食堂を描いたものである。三人の客は相席だが、互いに会話もなく、給仕も無愛想な様子である。タイムズ紙では、これ以上わびしく惨めな食事は考えられないが、それこそが力強い現実の表現であり、都市文明のひとつの成果であると評価されている。

メンツェル《圧延工場》

ドイツ十九世紀最大の画家アドルフ・メンツェルは、一八七五年の記念碑的大作《圧延工場》(口絵17)で、はじめて近代的な資本主義社会における工場労働者の姿を描いた。

中央で真っ赤になった鉄を大きなはさみでつかむたくましい労働者たちが目を引くが、画面右の暗がりに目を転じると、そこでは数人の労働者が弁当を食べている。彼らはひとかたまりになって座り、容器に入れてきた肉片のようなものにかぶりついて

（図84）メンツェル《圧延工場》（部分）

いる（図84）。真ん中の男は食べ終わっても放心したように座り込んでいる。右端の男はビールか水を直接、瓶から飲んでいる。わずかな休憩時間に、工場の片隅で粗末な食事をとる彼らの姿は暗がりにいるものの、中央にいて溶鉱炉の光を浴びている男たちよりも画面の手前に位置しており、画家が大規模な工場の明暗を鋭く表現しようとしていることをうかがわせる。

メンツェルはこうした作品と並んで華やかな宮廷社会の晩餐会も描いていた。一八七八年の《大広間の晩餐会》（図85）では、ベルリン王宮内で開かれた立食パーティーが表現されている。大きなシャンデリアが灯る舞踏会用のホールで、正装した政府高官や貴族は立ったまま、ドレスに身を包んだ婦人たちは椅子に座って、談笑しつつ食事している。

ここでの食事は、同時代のフランスにおけるブルジョアの食事と同じく、料理より

（図85）メンツェル《大広間の晩餐会》ベルリン国立美術館、1878年

も会話を楽しむものであった。食べ終わっても食後酒を飲み、コーヒーを囲み、葉巻を楽しみつつ、彼らの会話は尽きることがない。社交や恋愛といった人間関係の機微や駆け引きの舞台として食事があるのである。

それに対し、《圧延工場》の片隅にいる肉体労働者たちは、まったく会話もなく、限られた休憩時間に食物を摂取している。それは働くために必要不可欠だから食べているのであって、食事を味わい、会話を楽しむものではない。

このように、メンツェルは同時期にまったく対照的な食事風景を描いたのであった。社会階層による食事の差異を鋭くとらえるこうした視線は、やがて社会の矛盾を批判し、労働者の地位向上を目指す社会主義思想に発展していくものであった。

ピカソ《貧しき食事》

二十世紀初頭、パリの街には各国から芸術家を夢見る青年が集まり、「エコール・ド・パリ」とよばれる美術家の集団をなしたが、彼らは貧しさに耐え、かえってそれを誇りにするような無頼生活を送っていた。芸術家はその作品がすばらしければ、貧窮など苦にしないというボヘミアン的な熱気がモンマルトルやモンパルナスを覆っていたのである。

一九〇〇年にパリに出たピカソは、はじめのうち、自らの貧窮生活を省みて、こうした貧しい食事の光景をくりかえし描いた。《貧しき食事》(図86)という版画作品では、一切れのパンを前にした芸人の男女が言葉もなくたたずんでおり、《踊り子たち》では、サーカス団の母と息子が一切れのパンを前にうつむく光景を描いている。「青の時代」の《盲人の食事》(図87)では、左手にパンをもつ盲人が、右手で水の入った壷を探っているという、「触覚」の寓意像の伝統をひく図像となっている。《スープ》という作品では、娘にスープを差し出す母親の慈しみと娘の小さな喜びが捉えられている。

いずれの絵でも、食事の内容は質素である。華やかな近代都市パリの底辺にうごめく最下層の貧民の食事はパンをやっと口にできる程度のものであり、そこには会話も談笑もない。生きるために最小限のパンを求めるだけで精一杯なのだ。しかも、ピカソの絵では、このわずかなパンを男は女に、親は子供に与えようとしている。窮乏の中でこそ真の愛情が表面化するのである。

（図86）ピカソ《貧しき食事》日本、個人蔵、1904年 © 2024-Succession Pablo Picasso- BCF (JAPAN)

（図87）ピカソ《盲人の食事》ニューヨーク、メトロポリタン美術館、1903年 © 2024-Succession Pablo Picasso- BCF (JAPAN)

（図 88）ピカソ《テーブルの上のパンと果物鉢》バーゼル美術館、1909 年

その点において、この一連の作品は伝統的な「慈愛」の主題に重なる。果物が豪華な食卓を代表する食材であるとすれば、パンは貧者の食物であり、またもっとも神聖な食物でもあった。ピカソは、わずか十代にして姉をモデルにした《初めての聖体拝領》という作品を描いているため、聖体であるパンの意味を強く認識していたであろう。

貧しい食事にひとつだけ置かれたパンは、貧しさのシンボルであると同時に、男女や親子の愛情のしるしであり、また貧者こそ自分の兄弟であっていつもともにいると言ったキリストの象徴でもあった。

ピカソはやがて造形的な追求に傾倒し、前の章で見たようにキュビスムの実験に乗り出す。セザンヌの影響の色濃い一九〇九年の《テーブルの上のパンと果物鉢》（図88）では、すでにテーブルの半円形と果物の球とともにパンは半円柱の幾何学的形態になっている。パンの意味は薄れ、造形的な要素に還元されてしまったのである。

スーチンが描いた「肉」

一九一一年にリトアニアからパリに出てきたユダヤ人シャイム・スーチンは、異邦人ばかりのエコール・ド・パリの芸術家の中でももっとも貧しかった。しかし、生活上の貧窮をまったく感じさせないほど激しく情熱的な色彩とタッチによって魚や肉などを描いた。自画像やレストランのボーイのような人物像も描いたが、彼がもっとも執着したのは動物の肉であった。

彼はルーヴルで見たシャルダンの絵を模写したが、やはりルーヴルで見たレンブラントの《皮を剥がれた牛》(口絵12)にことに深い感銘を受けた。そして、生々しい赤い絵具を荒々しくたたきつけるように、《皮を剥がれた牛》(口絵18)やウサギ、鶏や七面鳥などを繰り返し描いた。一方、皿にニシンが並べられ、フォークが添えられた絵も描き(図89)、それらは、つつましい彼の食事への愛着を感じさせる。スーチンは、肉を買ってきてはそれが腐るまで描き、悪臭を漂わせて警察に通報されたことさえあった。

スーチンの描く肉は、常に動物の形をとどめている。「最後の晩餐」など、西洋の食卓を描いた絵でも、羊の頭のように動物はそのままの形で載っていた。

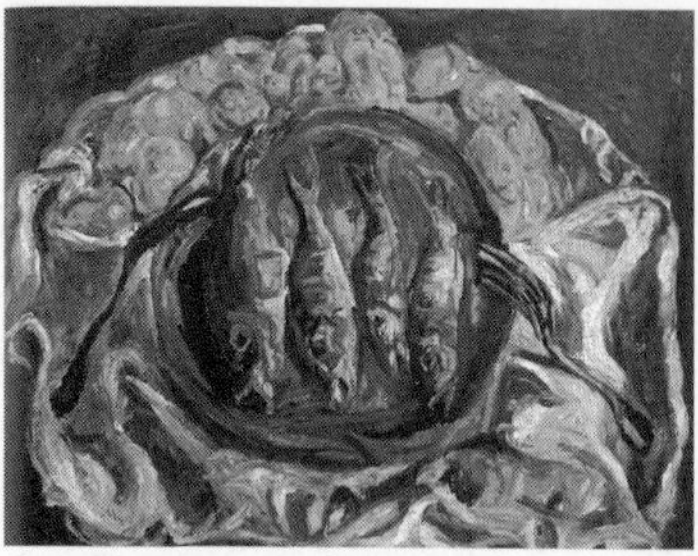

（図89）スーチン《魚とトマト》個人蔵、1924年頃

西洋では長らく肉は基本的に食卓の上で切り分けられるものであった。食事のときに切り分けてそれを分配することは特別な名誉であり、大抵はその家の主人か、主人から依頼された賓客の役割であった。十七世紀あたりまでは、食事において肉をきれいに切り分けることは、狩猟、剣術、舞踊などとともに社交界の紳士に不可欠の能力でもあった。

しかしやがてこうした習慣は廃れていき、最初から切り分けられた肉が供されるようになっていった。調理法と解体法によって、動物のもとの形は隠されたり変えられたりしているので、食事中に人がもとの動物のことを思い出すことはほとんどなくなった。エリアスによれば、それは人間が文明化への変動の過程において、自分自身の「動物的性格」と感じるものを排除しようとする傾向の表れであるという。

「動物の肉の大きな部分または丸ごとを食卓で切り分けること、死んだ動物を見ることに対する不快感の増大、切り分けの仕事を舞台裏の専門的な職分にまかせること、これが文明化のたどる典型的な過程である」。こうした傾向が進んだフランスに対して、イングランドでは肉を切り分ける風習は根強く残っていたという。

また、十九世紀に動物虐待に反対する思想が普及すると、屠場が人々の視野から隠されるようになった。十六世紀から十七世紀にフランドルやオランダの風俗画に頻繁に見られた皮を剥がれて吊り下げられた牛は、その後人の目からも画面からも姿を消したのである。

スーチンの描く肉はこうした「文明化された」肉の状態ではなく、生きているような躍動感がある。吊り下げられながらも、食べられることを拒否してもがいてのたうっているようにも見え、皿に並べられたニシンでさえも目を大きく見開いて生きているように見える。彼にとっての肉は、色彩と絵具、筆触による物質的・即物的な彼独自の絵画世界を生み出す契機となっていたのだが、同時にそれらが生き物であり食べ物であるという点が重要であった。

リトアニアの貧しいゲットーで育った幼少の頃、彼は動物を屠《ほふ》って食べることについてショックを受けたことがあったという。彼の告白によると、「私は一度村の肉屋が鳥の首を切って血を取り除くのを見たことがある。私は思わず叫び声をあげそうになったが、肉屋のうれしそうな顔を見て、その叫び声を呑み込んでしまった」。

ここでスーチンは自分の喉をポンポンと叩き、「その時の叫び声は今でもここに感じるんだよ。子供の頃私は、つたない肖像画を描くことで、この叫び声から逃れようとしたが無駄だった。後になって牛の枝肉の絵を描いた時も、本当の目的はこの叫び声から解放されることだった。しかしいまだに成功していない」。

スーチンの描く激しく躍動するような肉の絵は、本来は生き物でありながら、人間の生命を維持するための食料でもあるという矛盾が、自分の中で解消できないあがきの表れなのだ。有機的でありながら死んで食物となってしまった肉片は、いまだに生命力にあふれており、人間が動物を食べるということの意味や生と死について問いかけているようだ。

スーチンの激しいタッチによる肉の絵は、アンニーバレ・カラッチの《肉屋》に始まる肉の絵の系譜の帰結として、またヴァニタスの静物画のもっとも過激な姿として、私たちの目をとらえ、人が肉を食べることとはどのようなことかについて考えさせる。

§

二十世紀のこうした貧者の食事や静物の表現は、十七世紀のそれとちがって、描かれた階層とアーチストのそれとが一致していた。慈善行為を誘ったり、蔑視したりする視線ではなく、作家自らが対象と同化し、貧しさを否定も肯定もせずに表現するようになったのである。作家によるこうした自己言及は、二十世紀になると、貧者と同じく弱者であった女性の側からも登場した。

5-4 女性と食事

フェミニズム美術のシンボル

一九七〇年代、フェミニズムの思想によって男性中心の社会や歴史を見直し、芸術のあり方や過去の美術を見直す風潮が起こった。女性アーチストは、西洋美術史上の名作とされている作品に表現された女性のイメージにそぐわなさを感じ始めた。西洋の美術は、貞淑であったりエロティックであったりと、男性にとって都合のよい、現実からかけ離れた女性のイメージばかりを生み出してきた。作者も受容者も批評家もすべてが男性であった美術の歴史や制度を省み、そのゆがみや偏見を見直す風潮が起こったのである。

こうした風潮にもっとも早く反応したジュディ・シカゴは、一九七九年にサンフランシスコ美術館で、《ディナー・パーティー》（口絵19）という大作を発表した。

これは、ディナーのテーブルを三角形に配置したもので、それぞれの辺に十三の刺繍や陶器によるテーブルセットがあり、テーブルクロスや床には、ヴァージニア・ウルフ、ドリス・レッシング、フリーダ・カーロなど、ジュディ・シカゴが歴史上重要だと思う女性の名が記されている。料理はそれぞれ異なっており、一見、花や果物に見えるが、よく見ると陶器による女性器の形になっているのがわかる。

この宴席は、歴史上評価さるべき女性を記念するものであると同時に、刺繍や料理といった営みが女性に押し付けられてきた仕事であったことを示している。十三人ずつの席というのは当然、「最後の晩餐」の人数であり、この食事の神聖さを強調しているのである。三角形のテーブル配置も、三位一体の神聖な意味を表すと同時に、そこで閉じられ、外部に向かっていかない閉塞感を表している。女性が古来、家事労働や工芸ばかりに限定され、閉じ込められていたことを感じさせる。この大がかりなインスタレーション（設営芸術）は、フェミニズム美術のシンボルとして非常に有名になった。

西洋美術においても、今まで見てきたように、女性は宴席にいても脇役であり、もっぱら厨房や料理現場にいる姿が見られた。ルノワールの作品では女性が目立っていたが、いずれも若くて美しい女性であり、卓上の果物や花と同じく、華やかさを演出するモチーフにすぎなかった。これに対し、食べている人物はほとんどの場合、男性であった。女性が作り、男性が食べるという構図が、当然のように美術にもおよんでいたのである。

女性はさまざまな新しい料理を創造し、料理書を書いたにもかかわらず、芸術家と同じように著名なシェフはすべて男性であった。それは、公衆は昔から男性がサービスするのを好んだためであり、また男性のシェフたちも女性が料理の世界で威信のある地位に近づくのを拒んだためであるとされている。

女性は日常の家庭料理と密接に結びつけられてきた。民衆的な料理や低い階層の料理は女性のコックが作っていても、それが宮廷料理のように洗練され、名声を伴うものに発達するにつれ、男性のシェフの手に委ねられるという傾向があったのである。

名作への反逆

フェミニズム運動が普及すると、男女の役割のこうした不均衡に異を唱える女性アーチストが登場した。彼女らは、自分自身が被写体となり、従来の男性的な視点の作品とは異なるイメージを生み出そうと模索した。

一九八二年に制作されたジュディ・データーの《食べる》（口絵20）という写真作品は、作者がケーキの載った皿を前にして座って、ケーキを食べている自写像である。

中世以来長らく、女性は太っているほうが豊かさを表しているとして賞賛されたが、十八世紀に食糧供給が安定すると、食事療法や節食の思想が普及し、美食術が流行すると、女性の理想的体型は「すばらしくたっぷりした体格」から「すらっとした姿」に取って代わられた。

この傾向は現代まで続き、少しでも痩せるべく、ダイエットや減量に駆り立てられている女性が多い。また、その反動から過食症に陥る者も後を絶たない。

こうした傾向も、もともとは男性が望む女性の理想像に端を発し、社会全体が強迫的なまでに女性に太ることを許さないためである。データーは写真の中で、女性たちに押し付けられた強迫観念に反発し、あっけらかんとした表情で堂々と甘いものを食べている。それによって、社会化された女性の役割を相対化し、こうした性差を批判しているのである。同時にこれは、従来の美術のうちに女性自身が食べているイメージがほとんどなかったことを戯画化して示したものであると見ることもできる。

マネの《草上の昼食》のような美術史上の名作に対しても、女性だけが裸で男性は

（図 90）ジーン・フレイザー《天上の身体、冒瀆／聖体拝領》1990 年

着衣であることは、女性蔑視であると指摘された。西洋美術史上、女性はヌードで登場することが多く、状況的に不自然であっても、女性が裸で登場することが容認されてきたことには、男性中心の視点や欲望の表れを読み取ることができるのである。

アメリカの女性写真家ジーン・フレイザーは、《草上の昼食》を引用し、一九九〇年に《天上の身体、冒瀆／聖体拝領》（図90）という写真作品を発表した。ここではマネと同じピクニックのような設定で、レズビアンである作家自身が裸で同じポーズをし、マネの絵における着衣の男は修道女の服を着た女性二人となっている。純潔の象徴であるはずの修道女に、レズビアンの背徳関係を示唆する。カトリックはゲイやレズビアンを厳しく攻撃してきたが、異性愛しか認めないこうした狭量なモラルへの反発が表明されているのである。

西洋の食事観の根源にある「最後の晩餐」自体が男性だけの情景であった。「マルタとマリアの家のキリスト」では、マルタが手伝いをしないマリアをなじったのだが、彼女らの弟のラザロは多くの場合キリストの背後にちゃっかりと控えており、最初からこの争いの埒外にいる。

このように、料理を作ることは女性と結びつけられているにもかかわらず、食べる行為だけは男性と結びつくという通念が、現代になって女性アーチストたちによって問い直されたわけである。

二十世紀の美術は、それまで表現されなかった、あるいは表現されても受身に徹してきた貧者や女性といった弱者の食事に光を当てたといえよう。

第6章

最後の晩餐

6-1 死者と食事

天上の宴会

葬式のとき集まった人たちが故人をしのんで食事をするというのは、古今東西見られる習慣である。

故人の遺影を前にして、身内でしんみりと食事をするのは、葬式の重要なプロセスであるといってよい。これは故人とともに食事をすることであり、宴席の主役は故人にほかならない。死者をおくることと食事とは分かちがたく結びついているようである。

墓や仏壇に食物を供える風習もその一環だろう。部族社会のうちには、死者の肉の一部を食べる風習があるというが、これは死者を自分のうちにとりこみ、死者を生かすためである。前に述べたように、キリスト教徒がキリストの体の象徴である聖体のパンを食べることも、こうした風習が象徴化したものにすぎないと見ることもできる。

葬祭のときに食事をとったり宴会をしたりするだけでなく、墓室にその情景が描かれることも古くから見られる。三世紀から五世紀にさかんに作られた初期キリスト教時代のカタコンベ（図91）や石棺彫刻（図92）には、しばしばローマ風の宴会の情景が表現された。古代地中海世界では、埋葬の日や死者の命日に墓地で会食をする習慣が一般的であり、その情景を表したものとされる。

一見、「最後の晩餐」のように見えるが、人数が少なく、故人とその家族の宴席であるか、信者どうしがパンを割いてともに食べる「愛餐（アガペー）」の場面である。

(図91)《愛餐図》ローマ、プリシラのカタコンベ「カペラ・グレカ」、3世紀前半

(図92)《バエビア・ヘルトフィラの石棺》ローマ、国立美術館、3世紀後半

この場合にはしばしばパンに十字の切れ目が入れられ、それが聖体であることが示されている。広大な地下墓地であるカタコンベには、キリスト教徒だけでなく異教徒も葬られているが、これは死者が天国に導かれ、饗宴の席に招かれる「天上の宴会」である。「最後の晩餐」の図像は、こうした宴会図から発展したものであり、初期の図像はカタコンベ壁画とほぼ同一である。

初期キリスト教徒は、死は一時的な眠りであって、肉体も復活すると信じていたため、魚に飲み込まれて三日目に吐き出された「ヨナ」や、死して四日後にキリストによってよみがえった「ラザロの復活」のような復活や再生を扱った壁画の主題が好まれた。この宴の絵も死者の再生を願うものであり、単なる宴ではなく、キリストの死と復活を記念する聖餐の意味も込められていた。

テーブルというより大きな半円形のクッションに四人から十人くらいの人物が身をもたせ、ローマ風の作法で食事をとっている。各自ワインのコップをもち、十字の裂け目を入れたパン、魚、鶏などが描かれている。サン・カリストのカタコンベなどいくつかの壁画には、この食卓の横にパンの入った籠が並べられている。これは「パンと魚の奇蹟」を記念しており、ヨハネ伝にある「永遠の食べ物」を象徴するものである。

死後の婚礼の宴「ムカサリ絵馬」

中国でも後漢時代の画像石には、墓の主人公の生涯の中でもとくに華々しい場面や楽しかった場面が描かれているが、そこに盛大な宴会が描かれることが多い。また魏晋南北朝時代までの墓室の壁画の多くには、墓主とその妻が飲食をしている宴飲図（燕飲図）が描かれていた。素朴な表現ながら、当時の貴族社会の優雅な宴会の様子をうかがい知ることができる。これは墓主の生前の生活風景ととることもできるが、昇仙後、つまり仙界での情景である。こうした壁画は、没後も日常生活が続くことを願った墓主の理想の表現でもあり、葬った子孫にとっては供養の意思の表現でもあった。

唐時代に仏教が普及するとともにこうした宴飲図は姿を消す。このころの美術の影響を受けた日本の古墳壁画に宴飲図が見られないのはそのためである。

墓所に描かれる情景が東西に共通して食事を主題としているという点が興味深いが、これは食事という行為が、死後の復活や再生と意味的なつながりをもっていたためである。食事は何よりも生命を維持するための営みであるため、それが生を表すのは当然だが、同時に死とも深く結びついていた。

日本にあるイメージの中で私の心をもっとも打つのは、死後の婚礼の宴を描いた「ムカサリ絵馬」（図93）である。ムカサリとは結婚のことで、病気や戦争で若くして結婚前に死んだ息子や娘のために、彼らが幻の配偶者と結婚式を挙げている情景を描かせて奉納した絵馬である。第二次大戦後に急増したという。

花嫁と花婿が三々九度の杯を交わしており、お酌取りの少女や両家の父母もいる。

山形周辺の社寺に多く見られ、とくに天童市の若松寺観音堂や山形市郊外の立石寺などには、お堂をびっしりと埋め尽くすほど多くのムカサリ絵馬が奉納されている。親に先立った息子や娘が死後の世界で幸せな家庭を築くようにという、親たちの悲痛な祈りがこめられている。親たちは、結婚させてくれという死者の声をオナカマという巫女から聞き、その願いをあの世でかなえてやろうという義務感に駆り立てられ、また、せめて絵馬の中だけでもわが子の晴れ姿を見たいという願望を抱いたのである。

（図93）ムカサリ絵馬、天童市、若松寺観音堂

めでたいはずの婚礼の宴であるのに、どこかものがなしい雰囲気が漂っているのは、祝祷で はなく追悼の念に包まれているからである。宴会というものが、本来宗教的な儀礼であり、死とも結びついているということを思い出させてくれる。

こうした絵馬は、技術的な巧拙や美術史的な価値を超えて、美術というもののあり方を考えさせずにはいない。真の美術とは、美的鑑賞の対象などではなく、このような力をもったイメージであると私は思っている。

6-2 臨終の食事

最後の聖体拝領

前に、処刑直前の死刑囚のとる食事について述べたが、こうした特殊な場合を除いて死を前にした人間はあまりものを食べないだろう。模範的な信者にとって、臨終のときにとるべきは霊的な食事、つまり聖体であった。

カトリックにおける七つの秘蹟に、「臨終の秘蹟」というものがある。これは「終油の秘蹟」ともいわれ、信者が死ぬ前の告解と聖体拝領、塗油からなるものである。聖人伝を読むと、死に際して司教から聖体拝領を受ける場面がよく見られる。それは美術においてもしばしば表現された。

カラッチの弟子であったドメニキーノの《聖ヒエロニムスの最後の聖体拝領》(図

（図94）ドメニキーノ《聖ヒエロニムスの最後の聖体拝領》ヴァチカン絵画館、1614年

94）は、十七世紀における古典主義様式を代表する作品である。ヒエロニムスは四～五世紀の学者聖人で、聖書をラテン語に翻訳した「ウルガタ訳」によって名高い。

美術においては、書斎で執筆する姿と、荒野で苦行する姿がよく表現されたが、終油の秘蹟の場面でも、半裸の隠修士の姿で表される。ドメニキーノの絵は師匠のアゴスティーノ・カラッチの同主題作品を踏まえたもので、図像はほぼ同じだが、人物たちの動きや表情はより明確になっており、落ち着いた古典的構成のうちに見事にまとめあげられている。弟子に支えられて老体を起こす聖人に、司教が聖体盆に載った聖体を差し出す。

画面右には聖杯を持つ助祭がいる。臨終のヒエロニムスは聖体を見上げ、かろうじてそれを受けようとしている。画面左下では、聖人がトゲを抜いてやって以来なついたというライオンが、聖人のアトリビュート（持物）として描きこまれている。

似たようなものに、聖フランチェスコや聖ルチアといった聖人たちが最後の聖体を受ける主題もある。キリストによって七つの悪霊を祓われて悔悛したマグダラのマリアは、磔刑に立会い、復活後のキリストに個人的に出会うが、キリスト昇天後、南フランスに行き、ボーヌ近郊の山中で三十年にわたって修行したといわれている。亡くなるときはエクスで聖マクシミヌスによって聖体拝領を受けたという。

（図95）エスピノーサ《マグダラのマリアの最後の聖体拝領》スペイン、バレンシア美術館、1665年

スペインの画家ヘロニモ・ハシント・デ・エスピノーサが一六六五年に描いた作品（図95）では、破れた衣をまとったマグダラのマリアがひざまずき、口に直接、聖体を入れてもらっている。足もとには香油壺と髑髏という、この聖女のアトリビュートが見える。マグダラのマリアは、通常、悔悛す

る前の乱れた生活を暗示するかのように、金髪の美貌で表現されるが、ここではその面影はほとんどなく、聖体拝領の厳粛さが画面を支配している。

考えてみれば、聖体拝領の起源は「最後の晩餐」で、キリストにとっての最後の食事を模倣することなのだから、死を前にして聖体をいただくというのは理にかなっているのだ。

臨終の食事とは、決して飢えを満たすためのものでも味覚の快楽を得るためのものでもない、霊的で精神的なものであるはずである。死刑囚が、処刑の前に日ごろ食べなれた食事を所望するのは、それを目にして味わうことによって心を安定させるためにほかならない。キリスト信者にとっては、聖体こそが何よりも安心感を得られる食べ物であった。

日本では古来、米が神聖な食べ物であった。「いまわの米」(振り米)という話が各地の農村部に伝わっている。臨終の病人の耳元で米粒を入れた竹筒を振り、今すぐに米を食べさせてやるから元気を出せ、と励ますものである。農民にとっては米を食べるのが悲願であったから、せめて最期に米の音だけでも聞かせてやろうという思いとともに、米のもっている霊力で生命力をよみがえらせて欲しいという願望も込められていたという。

6-3　死にいたる食事

ヴァニタスの現代版

十八世紀にレストランが登場してから、そこで人といっしょに食事をすることは、単に空腹を満たす行為ではなく、人との会話やつながりを確認する行為となった。食堂や酒場は、家族のいない者にとってはなおさら孤独をいやす重要な場であった。こうした場における人間模様が十九世紀後半から美術のテーマになったのである。それは団欒と親睦の場であると同時に、孤独と悲しみの舞台でもあった。

二十世紀後半にアメリカの西海岸を拠点に活動し、人間存在や現代社会への悲観的なヴィジョンを表現していたエドワード・キーンホルツは、現代の簡易食堂とそこに集う人々を大がかりな作品にしている。

一九六五年に発表された《ビナリー（大衆食堂）》（図96）という作品は、アメリカのどこにでもあるような安っぽいカウンターばかりのバーまたは簡易食堂を再現したものである。

カウンターの中の壁には酒瓶が並び、片隅にはジュークボックスが設置されている。

（図96）エドワード・キーンホルツ《ビナリー》（部分）
アムステルダム市立美術館、1965年

人物たちは、本物の人物から型を取って作られたものとマネキン人形からなるが、彼らは座り、あるいは立って会話を楽しみ、酒を飲み、小皿料理をフォークでつつく。狭くて騒がしい雰囲気が伝わってくる。しかし、どの人物も顔が時計になっており、それらはすべて十時十分前を指している。食堂のにぎやかな騒がしさのかわりに、時計の細かな針音がこの空間を支配し、いやがうえにも時の経過を感じさせている。

時計の頭を持つ人物たちは、時間の浪費を象徴しているのである。店に集う客たちは、楽しげに会話してお互いの心を通わせているように見えるが、しょせんは赤の他人どうしであり、刻々と過ぎ行く時間をともに過ごしているという共通点しか持ち合わせていない。キーンホルツ自身、「バーというのは悲しい場所だ。見知らぬ人たちであふれ、彼らはみんな死に向かっているという考えを先延ばしにして時間を食いつぶしているのだから」と述べている。ここでは、客たちのにぎやかな談笑もジュークボックスから流れる流行歌も、すべて冷静に時を刻む時計の音に還元されてしまっているかのようだ。人間の営みは、食べるも飲むも会話もすべて死に向かって収束していくものだという酷薄な世界観が表されているという点で、この大がかりな装置はヴァニタスの現代版であるといえよう。

ネーデルラントの厨房画やオランダの静物画の多くには、ヴァニタスや肉欲という否定的・教訓的な意味が込められているのを見てきた。聖なる情景と対比される豊富な食物にも、宴会図の豪華な食べ物にも、やがて朽ちる肉体や死が暗示され、食欲に惑わされて大事なものを見失ってはならないという意味を発していた。真に食べるべきは、「天上からのパン」のみであり、やがて腐ってしまう食物は、常に死に結びつく要素を宿していたのである。

ウォーホル《ツナ缶の惨劇》

キャンベル・スープの缶を描いて現代社会における大量生産された食品を主題としたウォーホルも、そのことに敏感であった。飲食や食べ物という主題は、このキャンベル缶以来、彼が執拗な関心を抱き続けたものであった。その関心の背景には、毎日食べるものへの単純な祝福という精神があったが、それらにはしばしば性的な含意や宗教的な聖餐の意味が込められていた。

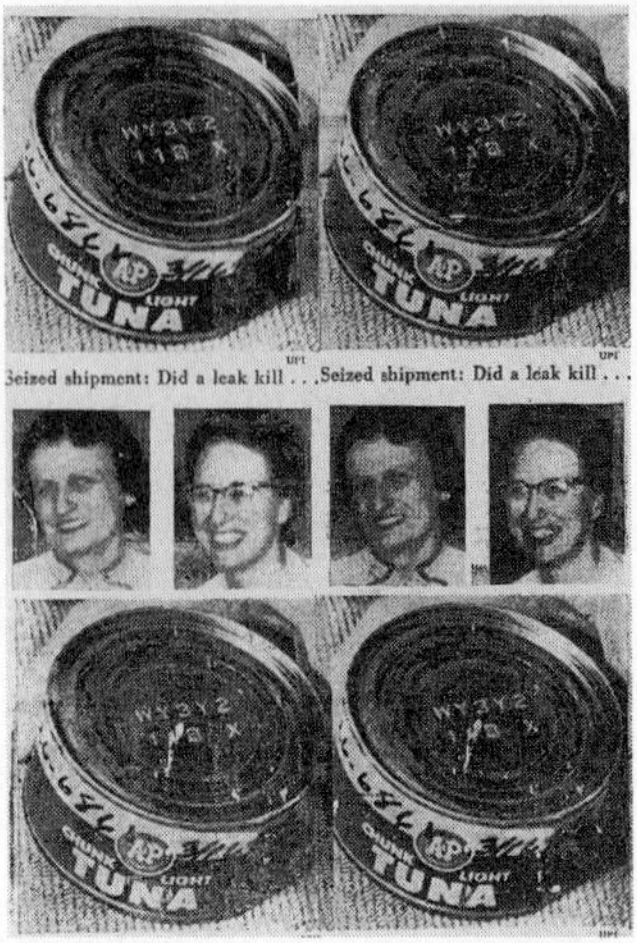

（図97）ウォーホル《ツナ缶の惨劇》、1963年

キャンベル缶のシリーズを発表した翌一九六三年に、彼は《ツナ缶の惨劇》（図97）のシリーズを制作した。これは、ツナ缶に含まれていたボツリヌス菌にあたって主婦二人が死亡した事件を扱っ

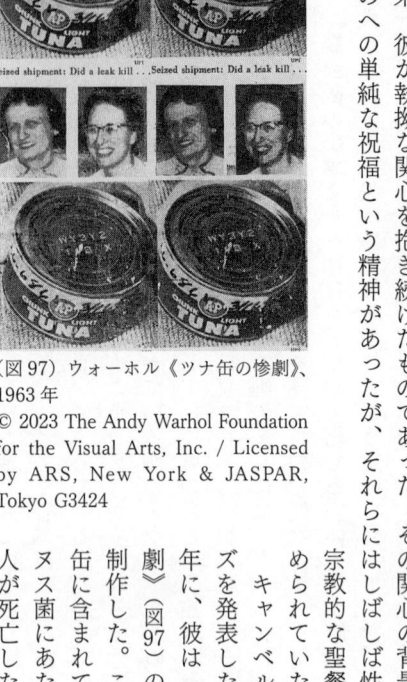

ており、警察に押収されたツナ缶の写真と、死んだ主婦二人の新聞写真を組み合わせた作品であった。人々が気軽に食べている缶詰の恐ろしい側面を扱っており、キャンベル缶のちょうど裏返しの主題となっているといえよう。日常の平凡な食事が不慮の死をもたらしてしまった悲劇の記録であり、警告であった。

美術史家トーマス・クロウは、この作品はスーパーマーケットに並んでいる缶詰のようなパッケージ食品の安全性の神話が崩れた瞬間を記念しているとしている。ウォーホルはこの頃から、自殺したマリリン・モンローや、交通事故や自殺など、新聞で報道される現代社会における死を主題とし、「死と惨事（ディザスター・ペインティング）」のシリーズに取り組んでいる。《ツナ缶の惨劇》も、情報化社会で報道されてはすぐに忘れ去られる「無名人の死」を扱ったもののひとつである。捜査当局によってマジックでナンバーの振られたツナ缶の写真は、キャンベル缶とちがって色彩を施されず、規則的に何度も反復して転写されて並んでいる。このイメージは、現代におけるヴァニタスにほかならず、食物が死と隣り合っていることを不気味に告げているのである。

ウォーホルはこの翌年に《食べる（イート）》（図98）という映画を製作した。これは、ポップ・アートのアーチストのロバート・インディアナが、ひとつのマッシュルームを食べる情景を延々と撮影し、それを編集して繰り返した三十分ほどの映画である。そのため、時間がたつと一度食べたマッシュルームが甦るように見え、「パンと魚の奇蹟」を彷彿させる。

グラフィックのような文字を装飾的に組み合わせる作品で知られるインディアナは、この少し前に《EAT－DIE》（図99）というサインを二連画として制作していた。この言葉、「食べて、死ね」は臨終のときの母の遺言であり、自分の脳裏から離れないことが制作の動機となっていると述べている。ウォーホルがこのインディアナの映

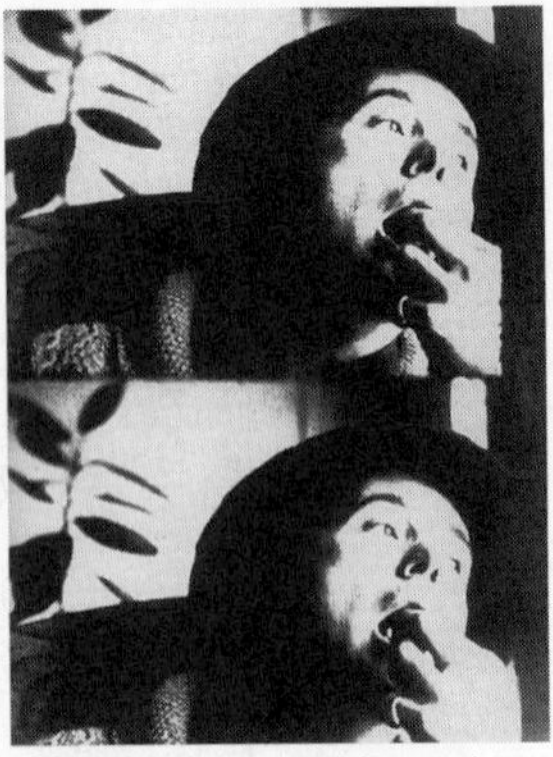

（図98）ウォーホル《食べる（イート）》ニューヨーク、アンディ・ウォーホル財団、1964年

（図99）ロバート・インディアナ《EAT-DIE》、1962年

画ポートレイト《食べる》を撮っているとき、ウォーホルもインディアナも、この言葉を思い起こしていたにちがいない。延々と食べ続けるインディアナの行為は、死に向かっていくヴァニタスのイメージであったと見てよいだろう。

ウォーホルの遺作《最後の晩餐》

ウォーホルが死の前年一九八六年に取り組んで遺作のひとつとなったのが《最後の晩餐》のシリーズである。これはレオナルド・ダ・ヴィンチの名画を引用したものであり、その文脈で語られることが多いが、ウォーホルの主要テーマであった死と食、さらにキリスト教という文脈に位置づけることができる。

東欧移民の子であったウォーホルは終生敬虔なカトリック信者であった。彼は制作に当たって、レオナルドの原作の写真を用いず、キリスト教グッズの店で売っていた十九世紀の模写作品の写真を選んだが、そこから彼がレオナルドという巨匠のアウラよりも、この主題のもつ意味に惹かれていたことがわかる。

レオナルドのものは「最後の晩餐」の図像の中でももっともポピュラーであり、あえて安っぽい複製画を用いたのは、それが美術作品としてではなく、信仰上の目的か

（図100）ウォーホル《最後の晩餐》ピッツバーグ、アンディ・ウォーホル美術館、1986年

ら受容されていたからである。

この複製写真をカンヴァスに転写して作品にしたのだが、試行錯誤を繰り返している。全体に迷彩を施した作品、六十回も図像を反復して転写した作品、いくつかの色面によって画面を分割した作品などである。キリストの頭上に大きな鳩をデザインした「ダヴ石鹸」の包装紙の商標が描き込まれている作品もあるが、これは鳩が聖霊を表し、石鹸自体が罪を洗い清める意味をもつ。画面右側の「ジェネラル・エレクトリック社」のロゴマークは光背に見立てることが

でき、霊性の象徴としての光が電気によって示唆されている。哲学者アーサー・ダントは、それ自体が高尚な芸術のロゴである《最後の晩餐》の上に、純潔と天啓が重なるさまが表された隠喩に満ちた画面であると解釈している。

もっとも成功し、印象深いタイプは、ワインや血を思わせる赤い地色の上に黒い図像を上下、あるいは左右に二回転写した一連の大作（図100、口絵21）である。六〇年代に何度も制作された《電気椅子》のような作品と同じように、瞑想的な雰囲気が漂っている。

社交界のスターとして夜毎華やかなパーティーに明け暮れていたウォーホルが、アトリエではひそかにこうした作品を制作していたことは興味深い。表層的なパーティーの裏側にある空しさを感じ取り、聖餐の絵に没頭することによってその空虚さを埋めようとしたのだろうか。現実では「悪しき食事」を楽しみ、作品では「良き食事」を表現していたといえよう。

ウォーホルこそは、二十世紀において西洋美術における食物表現の意味を体現し、それを締めくくった巨匠であった。キャンベル・スープ缶の斬新な作品によって美術界にデビューし、大量生産された便利で気軽な現代の食品を称えたこの画家は、一方で食物のもつ恐ろしさや死に結びつく否定的側面を見据え、最後には、キリスト教の伝統的な図像に回帰し、聖餐による天上のパン、つまり永遠の食物を求めたという軌跡を辿った。

キャンベル・スープ缶は一面、現代の都会人の孤独な食事を暗示するものでもあったが、終生孤独であったこの画家は、絶筆においては、キリストを中心とした十三人の食事を選んだようにさえ思えるのである。

エピローグ

西洋美術における様々な食事の表現を見てきたが、多くの場合、そこにはキリスト教の色彩が濃厚であることがわかったと思う。

キリスト教はそもそも特殊な宗教であった。母体であったユダヤ教では、神は決して目に見えない存在であり、「いまだかつて神を見たものはいない」とヨハネ伝の冒頭にも書かれているのに、イエス・キリストという普通の人間の肉体をもった神が出現した点が異常である。キリストは神でありながら生身の肉体をもち、それゆえに、人間の罪の身代わりとなって血を流して犠牲となることができたのである。

このことは、ギリシア以来、西洋に根強かった霊肉二元論ではなく、霊も肉も尊いという特異な考えにつながった。キリストの肉体が受難の末に復活したという教義を象徴するのが聖体拝領であった。パンというもっとも基本的な食べ物に象徴的な意味を付与し、食べるという、本能に基づく動物的な行為を神聖な儀式に高めたのである。

肉体も肉も聖体という象徴によって聖化され、食物の存在や食べる行為を肯定する思想的基盤となった。

多くの宗教では、神の姿は目に見えず、表現できないことになっていた。しかし、キリストは人間の姿をまとって、つまり受肉して人間世界に出現したため、これを記録し、表現することが理屈上は可能となった。しかも、ギリシアやローマなど造形文化の伝統の根強い地中海世界に普及したため、早くからキリストや聖書の逸話を視覚的に表現することがさかんになった。

一方、キリスト教の母体であるユダヤ教では偶像を作ることも拝むことも認めず、旧約聖書でも繰り返しそれを禁じている。これに対し、キリスト教は、神の像は偶像ではなく、聖像(イコン)であって、その像を拝むのではなく、像の背後にある神を拝むのであって、画像は神を見る手段、窓であるという理論を徐々に作り上げていった。

八世紀のイコノクラスムや十六世紀の宗教改革において、この考えは反駁《はんばく》されながらも、美術は偶像ではなく神を見る窓であるというイコンの考え方によって、西洋は二〇〇〇年にわたって豊かな宗教美術を育んできたのである。

美術作品という、一見異教的で偶像に通じる物質をイコンとして容認してきたこと、これは、パンという一般的な食べ物を聖体として肯定してきた思想と通じあう。どちらも、低くて現実的で具体的な物体を象徴化して神聖化する思考のプロセスであるといってよい。

つまり、キリストが受肉したことにより、現世の肉体と食物を肯定し、造形表現を肯定する道が拓かれたのである。食物や造形芸術という、ややもすると肉の滅びや偶像につながる物質を、聖餐という儀礼と聖像という表象に昇華しえた、そこにキリスト教文明の特質があったのである。食物を描いた美術がかくも多いのはそれゆえだったのではなかろうか。

キリスト教文明圏以外では、食物にこれほど特別な意味がないため、美術表現と結びつかなかったのである。肉欲や大食といった否定的な教訓を表向きはまとっていても、豊富な食物の表現はそれだけでありがたみや豊かさを感じさせるし、現世の食物を肯定して称える現実的でしたたかな思想がそこには息づいているように見えるのである。

そもそも食物とは、粗野な自然を加工して人の口に合わせたものであり、自然の征服という側面をもっている。食べ物を描いた絵画は、自然が切り取られて人に提供されているような快感を観者に与えたのである。また、絵画というものは、目の前にある事物や事象を写して留めるという欲求から生じたものであり、自然を切り取って入手することであった。食物と絵画にはともに、生や現世を肯定しつつ、自然を克服して人の手に入れられるようにしたものという共通点があり、それゆえに食物を描いた絵画が多いとも考えられるのである。

また、食事は、こうした意味のほかに、人と人とのつながりを強調する意味ももっていた。人間が食べるということは、単に生理的欲求を満たすことではない。食事には社会性があり、文化があるのであって、そこが動物と人間を分ける大きな分岐点となっている。西洋美術はそれを的確にとらえてきたといえるし、西洋美術における食事表現を通覧すると、いかに食事が人間の文化にとって重要であるかがわかるのである。

食事こそはコミュニケーションの最大の手段であり、宗教と芸術につながる文化であった。人と人、社会と個人、文明と自然、神と人、罪と救い、生と死、それらすべてを結合させる営みが食事であった。また真の芸術は、単なる感覚の喜びなどではない、人間の生の証であり、宗教にも通ずるものである。その意味において、食事と美術、さらに宗教は一直線につながっているのである。

§

人は臨終になったら、いったい何が食べたいと思うだろうか。

死を目前にすれば、大好物のリストどころか、食べなれた食物も思い浮かばず、おそらく何も口にしたくないと思うにちがいない。食事の時間があるなら、会話するなり遺書を書くなり、別の営みに時間を使うべきだろう。

食事は人と人とを結びつける有力な媒体だが、死という極限の状況においては、食事は大した力を持ち得ないのではなかろうか。最後の聖体拝領も、聖体と聖杯だけでは成立せず、それを与えてくれる司祭の存在が前提となっており、さらにそれは主とともにいただく食事なのである。一人の食事も場合によってはよいものだが、やはり食事は人あってのものである。最後の晩餐を一人ですることほど悲しいことはあるまい。食べることはできないとしても、せめて今まで経験したおいしかった料理や楽しかった食事のことを思い出す余裕をもちたいものである。

§

一九六八年に命を絶ったマラソン選手、円谷幸吉《つぶらやこうきち》の有名な遺書は、何よりも彼が死の間際に食べ物のお礼を几帳面に列挙していることによって人の心を打つ。

父上様、母上様、三日とろろ美味しゅうございました。干し柿、餅も美味しゅうございました。敏雄兄、姉上様、おすし美味しゅうございました。勝美兄、姉上様、ブドウ酒とリンゴ美味しゅうございました。巌兄、姉上様、しそめし、南ばん漬け美味しゅうございました。喜久蔵兄、姉上様、ブドウ液、養命酒美味しゅうございました。又いつも洗濯ありがとうございました。幸造兄、姉上様、往復車に便乗させて戴き有難うございました。モンゴいか美味しゅうございました。（以下略）

日本の伝統的な贈答品は鮭のような食べ物が多かったのだが、この遺書にはそれらの味よりも、それを食べさせてくれた身内の人々への純粋な感謝の念だけが淡々と記され、悲痛さも絶望感もない澄み切った心境をうかがわせる。几帳面に列挙された食べ物と、「美味しゅうございました」という言葉の繰り返しからは、食べ物への素朴な感謝の気持ちもにじみ出ている。彼は、自決の前に、おいしかった食べ物の味を反芻し、その味とともにそれを食べたひとときと家族の愛情を思い出していたのであろう。

川端康成は、「繰り返される《おいしゅうございました》といふ、ありきたりの言葉が、じつに純ないのちを生きてゐる。そして、遺書全文の韻律をなしてゐる。美しくて、まことで、かなしいひびきだ」とし、「千万言も尽くせぬ哀切」であると評した。人生の最期に思い出してしたためるべきはご馳走の味ではなく人の情であり、また食べ物は人とのつながりと切り離せないということを、これほど感じさせてくれる文章はない。

§

本書では美術と食とのかかわりを追ってきたが、美術も食も、死というものに照らしてみたときにこそ、その真の力を妖しく放ちはじめるのではなかろうか。「最後の晩餐」は、その意味で、美術においても食事においても究極のテーマであるといえよう。

自分の人生にもし「最後の晩餐」があるとすれば、そのとき誰といっしょに何を食べるのか、そしてどのように飲み食いしてどんな会話をするのか……。そんなことをときに想像してみるのも悪くはないだろう。

それによって、自分の食への嗜好を再認識することができるだけでなく、日常のささやかな食事のありがたさを感じ、家族や身近な人たちへの愛着や感謝の念を新たにし、生かされているという幸福を噛み締めることができるはずだ。

あとがき

　私は昔から美術が好きで、幸いずっと美術史の仕事を続けることができたのだが、年とともに飲食への情熱が肥大化し、次第に美術に対する興味を圧倒していった。

　毎日食べることばかり考えるようになり、調査のため海外に出張するときも、どこのレストランで何を食べるかということばかり計画しては、そこに多大な労力を注ぎ込んだ。ネットや雑誌でグルメ情報をまめにチェックし、上京するときは、綿密なプランを立てて一日に何軒もラーメン屋やカレー屋ばかりはしごしたり（中でも「二郎」というラーメン屋の中毒であった）、地元関西でも、少しでも評判のよい店があれば電車を乗り継いで食べに行ったりした。故郷名古屋の名物「あんかけスパゲッティ」も、月に一度は食べに行かずにはいられなかった。憑《つ》かれたようにデパートの食料品売り場やスーパーをうろつき、ファストフード店の新しいメニューやコンビニに並ぶ新発売のインスタント食品までもが気になる。

グルメといっても基本的にこういうB級あるいはC級グルメで、好物を食べるときには一人で集中して貪り食うのが常であった。一方、宴会にも目がなく、皆で歌い騒ぎ、焼酎やワインを浴びるほど飲んでは、最後は何をしゃべったかおぼえていないくらい泥酔してしまうのが何よりも楽しかった。要するに、本書で述べた「悪しき食事」を体現するような、放恣《ほうし》で自堕落な餓鬼道のごとき鯨飲馬食《げいいんばしょく》の日々を送っていたのである。

そんなある日、光文社の小松現氏から一通の手紙をもらった。そこにはいきなり、『食べる西洋美術史』という本を書いてくれとあった。私は、虚をつかれたように驚いた。これほど自分の関心に近いテーマはないと思ったし、面識のない小松氏が、どうしてそれを見抜いたのか不思議でならなかったのである。それ以前にも、ことあるごとに食を扱った美術作品についてエッセイに書いたり講義で熱く語ったりしてきたし、美術と料理とは相通ずると確信していたのだが、食と美術について体系的に考えてみたことはなかった。小松氏に承諾の意を伝えると、すぐに神戸まで会いに来てくれ、その場でほぼ執筆方針が固まったのだった。

その後数ヶ月、少しずつ構想したり資料を読んだりしながら夏になるのを待ち、夏休みには他の仕事を後回しにして一気に書き上げた。ところが、ほぼ脱稿したときに膵臓《すいぞう》を壊してしまい、入院する羽目になった。別の要因から来たストレスと過度の飲酒が原因である。数日間、絶食して点滴を受けたが、不思議と空腹にならず、さらに入院していた下町のすさんだ病院で、死と食が混在するような阿鼻叫喚《あびきょうかん》を見聞して、食というものについて考え直すようになった。退院後は、酒・タバコはもちろん、大好きだった脂っこい食べ物や激辛料理を断たなければならなくなり、根本的に自分の食生活を見直す必要に迫られた。十数年前に、ビールの飲みすぎと大食のために痛風になったときも、同じように食習慣を改め、注意してきたつもりだったが、今回のほうが深刻であった。飽食とグルメの逸楽郷とは決別しなければならなくなったのである。今後は節食に努め、修行僧のようにパンと水、あるいはご飯とお茶だけの「良き食事」を実践していこうと思っている（いつまで続くかわからないが）。

この本はその意味で、奇しくも私の食道楽時代の遺書のようなものとなってしまった。当初は、ひたすら食の快楽をたたえ、おいしそうな料理と美術を愛《め》でる気楽な食卓漫談のようなスタイルを考えていたのだが、そのような箇所を削り、ペシミスティックな調子に書き換えてしまった。

食も、精神的な面からとらえたときにこそ文化となるのであり、美術も基本的に宗教のような精神的価値に結びついている。やはり自分は美術史家らしく、飲食の物質的な悦楽に惑溺するのではなく、美術や宗教の精神的な深淵に沈潜していこうと、涙ながらにあきらめた次第である。

このすばらしいテーマを与えてくれただけでなく、私が書きなぐった粗っぽい原稿を大胆に削ったり練ったりして、短期間で見事に完成に導いてくださった小松氏の慧《けい》眼《がん》と力量には感謝と畏敬の念を禁じえない。また、本書の企画段階から、教室や宴席で私の与太話や野望を聞き、いっしょに考えていろいろな意見を言ってくれた教え子や友人たち、そして長年、食事のたびに私から食へのこだわりやうんちくを聞かされてきた妻子にもこの際感謝の意を記しておきたい。

二〇〇六年　年の瀬を前に　西宮

宮下規久朗

文庫版あとがき

このたび二〇〇七年一月に光文社新書として刊行された『食べる西洋美術史』が文庫化されたのは、まことにうれしいことである。十六年前に書き下ろした本書は拙著のうちでも特に愛着のある本である。

刊行の翌年には美術史家のイ・ヨンシク（이연식）氏によって韓国語に翻訳され、『おいしい絵―舌で読む美術の話（맛있는 그림―혀끝으로 읽는 미술 이야기）』として韓国のパダ出版社（바다출판사）から刊行されたが、挿図はすべてカラーで、本文でふれていながら図のなかったものまですべて拾ってカラー図版で載せてくれており、原書より見やすくなっているため、皆にはこちらの韓国語版のほうを薦めてきた。

食と美術というテーマは、当時はまったく見慣れぬものであった。ところがその後、このテーマは一気にメジャーとなり、類書や展覧会が次々に登場した。まず、三重県立美術館で二〇一四年三月から五月まで「ア・ターブル！――ごはんだよ！食をめぐる美の饗宴――」展が開かれたが、これは食と美術の関係についての画期的な展覧会であり、企画した学芸員の吉田（貴家《さすが》）映子氏（現静岡県立美術館）は本書に触発されたという。伝狩野元信《かのうもとのぶ》の「酒飯論《しゅはんろん》絵巻《えまき》」に始まり、現代美術までを展示した充実した展示であり、私も講演を頼まれた。同じ年の九月から十一月にかけて横須賀美術館で「おいしいアート　食と美術の出会い」という展覧会が開催された。学芸員の古屋梨奈氏（現千葉県立美術館）が企画したもので、三重県立美術館の類似の企画を知らずに同時に進めていたという。私はカタログに論考を依頼されたが、食に関する現代美術が多く展示され、これも見ごたえがあった。

　アメリカでも二〇一四年にシカゴ美術館で「美術と食欲」という展覧会が開催され、食事や食材に関するアメリカ美術が集められ、非常に充実したカタログが作られた(Judith A.Barter ed., *Art and Appetite: American Painting, Culture, and Cuisine*, Chicago, 2013)。また本書以降、『描かれた食卓』、『美食のギャラリー』、『名画の食卓を読み解く』、『フェルメールの食卓』などといった食に関する美術書が次々に出版された。グルメブームと美術への関心が結びついたものであろうか。本書はこうしたテーマの流行の嚆矢《こうし》となったと自負している。

「あとがき」にも書いたように、このテーマは光文社の天才編集者である小松現氏のアイデアに発し、彼の慧眼《けいがん》と私の趣味が一致したところに本書は生まれた。本書で述べたウォーホルと食や死との関係については、二〇一〇年に『ウォーホルの芸術』（光文社新書）でさらに深めて展開し、ムカサリ絵馬については山形に調査に行き、二〇一八年の『聖と俗』（岩波書店）で論文として発表した。本書は、タイトルに「西洋美術史」と掲げているため、日本や東洋の作品はあまり取り上げなかったが、わが国にも前述の「酒飯論絵巻」のような例外的な名作があり、中国や朝鮮にもいくつかの作例がある。当初はこうした例も載せていたのだが、小松氏のアドバイスで削った。そのため内容に一貫性が出たように思う。今回の文庫化に当たってそのあたりを増補することも考えたが、基本的にまとまりのよい原書のままとし、最小限の修正に留めた。東洋編については、またの機会にまとめることができればと考えている。文庫化に当たっては小松氏のほか光文社の三宅貴久氏のお世話になった。記して感謝したい。

本書の刊行後、私は「グルメ美術史家」などと称されてこのテーマで何度も講演をしたり雑文を書いたりしてきた。食について語りだすときりがないのだが、「あとがき」で書いた膵炎は治ったものの暴飲暴食は止まず、ときおり痛風発作に見舞われては歩行困難になっている。全国を食べ歩いたラーメンは卒業したがまだカレーには目がなく、ビリヤニにはまって家でも作り、インドにも行って食べまくった。もちろんイタリアンにも一家言あるが、やはり故郷の名古屋飯がいちばんで、関西ではほとんど食べられないのが不満である。

食事は何を食べるかよりも、誰と食べるかで印象は異なるし、強く思い出に残るのは味よりもいっしょに食べた人の方である。多くの人にとって家族との食事の思い出は原点となっているであろう。以下、私事で恐縮だが、本書の刊行の六年後、大学卒業を控えた一人娘が突然がんに罹り、半年後に逝ってしまった。私は人生観や世界観が激変し、仕事や美術への情熱の大半を失ったが、そのことは光文社新書の『美術の誘惑』や『美術の力』などあちこちに書いてきた。そして、娘との日常の食事や家族で行った外食のすべてが、とてつもなく貴重な思い出になっているのを感じた。実際、この本を書いたころがいちばん幸せであったように思う。ちなみに娘は美術にも私の仕事にもまったく興味がなく、本書が出たときも「読むといいよ」と渡したが、そのまま部屋の片隅に置かれて読んだ形跡はなかった。

思い出すと悲しく、またわずかな思い出を大事にしたいがゆえに、食べられなくなったものもある。名古屋駅前のパスタ・デ・ココに二人で入ってあんかけスパゲッティの鉄板のせミラカンを食べたことがあったが、かつて通い詰めたこの店には行けなくなった（ミラカン自体はヨコイなど別の店で食べているが）。東京のホテルに泊まったとき二人で食べたケンタの辛いチキンも、娘が入院していた神戸大学病院のドトールで食べたミラノサンドも、夜中の病室でいっしょに食べたどん兵衛のうどんも、芦屋のホスピスで娘が息を引きとる直前に家内が食べさせたメロンも、思い出すのが辛くて食べられなくなってしまった。それらは私の最後の晩餐にとっておこうと思う。娘が大学生のころ、ときどき私が昼食を作って二人で食べたことはいちばん大切な思い出であり、そのとき作っていた炒飯やそばめしを今も娘の祭壇に供えてともに食べている。死者との共食をこれほど感じることはなく、本書の最後のほうで述べた宗教的な飲食観をますます強めた次第である。

そのようなわけで、この文庫版を娘の麻耶に捧げることをお許しいただきたい。

亡き子にもケーキ食べさせたき聖夜

二〇二三年末　西宮　　宮下規久朗

C.Sterling, *La nature morte de l'Antiquitè a nos jours,* Paris, 1952(ed.Eng., 2nd ed., New York, 1981).

J.Rosenberg, S.Slive, EH.ter Kuile, *Dutch Art and Architecture 1600-1800,* Harmondsworth, 1966(3rd ed., 1991).

N.Elias, *Über den Prozess der Zivilisation,* Bern, 1969（赤井慧爾、中村元保、吉田正勝訳『文明化の過程』上巻、波田節夫、羽田洋、溝辺敬一、藤平浩之訳、同下巻、法政大学出版局、一九七七－七八年）.

K.P.F.Moxey, *Pieter Aertsen, Joachim Beuckelaer, and the Rise of Secular Painting in the Context of the Reformation,* New York and London, 1977.

M.L.I.Lotteringhi della Stufa, *La Cucina nell'Arte,* Firenze, 1983.

S.Mennel, *All Manners of Food: Eating and Taste in England and France from the Middle Ages to the Present,* Oxford and London, 1985（北代美和子訳『食卓の歴史』中央公論社、一九八九年）.

M.Harris, *Good to Eat: Riddles of Food and Culture,* New York, 1985（板橋作美訳『食と文化の謎』岩波現代文庫、二〇〇一年）.

J.Treuherz, *Hard Times: Social Realism in Victorian Art,* London, 1987.

D.Freedberg, *Iconoclasm and Painting in the Revolt of the Netherlands 1566-1609,* London, 1988.

R.Zapperi, *Annibale Carracci: Ritratto di artista da giovane,* Torino, 1989.

AA.VV., *Pieter Aertsen, Nederlands Kunsthistorisch Jaarboek,40,* Amsterdam,1990.

N.Bryson, *Looking at the Overlooked: Four Essays on Still Life Painting,* Cambridge, 1990.

M.Montanari, *La fame e l'abbondanza,* Roma-Bari, 1993（山辺規子、城戸照子訳『ヨーロッパの食文化』平凡社、一九九九年）.

E.Lucie-Smith, *Race, Sex, and Gender in Contemporary Art,* New York, 1994.

R.Fabing, *Real Food: A Spirituality of the Eucharist*, Mahwah, 1994.

E. de Jongh, *Questions of Meaning: Theme and Motif in Dutch Seventeenth-Century painting*, Leiden, 2000（小林頼子監訳『オランダ絵画のイコノロジー』ＮＨＫ出版、二〇〇五年）.

S.Ferino-Pagden(a cura di), cat.mostra, *Immagini del sentire: I cinque sensi nell'arte*, Venezia, 1996.

Exh.cat., *Kienholz : a retrospective*, New York, 1996.

J-P.Cuzin, P.Rosenberg, *Georges de La Tour*, Paris, 1997.

V.I.Stoichita, *The Self-Aware Image: An Insight into Early Modern Meta-Painting*, Cambridge-New York, Melbourne, 1997（岡田温司、松原知生訳『絵画の自意識』ありな書房、二〇〇一年）.

E.A.Honig, *Painting & The Market in Early Modern Antwerp*, New Haven and London, 1998.

H.Vlieghe, *Flemish Art and Architecture 1585-1700*, New Haven and London, 1998.

J.Brown, *Painting in Spain 1500-1700*, New Haven and London, 1998.

F.Paliaga(a cura di), *Vincenzo Campi: scene del quotidiano*, Cremona, 2000.

M.Gregori(a cura di), *La natura morta italiana: da Caravaggio al Settecento*, Firenze, 2003.

J.Le Goff, N.Truong, *Une histoire du corps au Moyen Âge*, Paris, 2003（池田健二、菅沼潤訳『中世の身体』藤原書店、二〇〇六年）.

K.Bendiner, *Food in Painting: from the Renaissance to the Present*, London, 2004.

S.McTighe, "Food and the Body in Italian Genre Paintings, about 1580: Campi, Passarotti, Carracci", *The Art Bulletin*, 86, 2004, pp.301-323.

L.Silver, *Peasant Scenes and Landscape: The Rise of Pictorial Genres in the Antwerp Art Market*, Philadelphia, 2006.

S.Malaguzzi, *Il cibo e la tavola*, Milano, 2006.

鯖田豊之『肉食の思想』中公新書、一九六六年。

大塚滋『食の文化史』中公新書、一九七五年。

岩井宏実編『絵馬秘史』NHKブックス、一九七九年。

森洋子『ブリューゲル全作品』中央公論社、一九八八年。

北山晴一『美食の社会史』朝日選書、一九九一年。

神崎宣武『酒の日本文化』角川選書、一九九一年（角川ソフィア文庫、二〇〇六年）。

笠原美智子編『私という未知へ向かって――現代女性セルフポートレイト展』カタログ、東京都写真美術館、一九九一年。

『生誕100年記念　スーチン』展カタログ、北海道立近代美術館、毎日新聞社、一九九二年。

『スペイン・リアリズムの美――静物画の世界』展カタログ、国立西洋美術館、日本放送協会、一九九二年。

石毛直道『食卓の文化誌』岩波同時代ライブラリー、一九九三年。

『アンディ・ウォーホル1956―86：時代の鏡』展カタログ、アンディ・ウォーホル美術館、朝日新聞社、一九九六年。

神原正明『ヒエロニムス・ボスの図像学――阿呆と楽園に見る中世』人文書院、一九九七年。

中城忠、谷川健一、中園成生『かくれキリシタンの聖画』小学館、一九九九年。

片桐頼継『レオナルド・ダ・ヴィンチ　復活「最後の晩餐」』小学館、一九九九年。

宮下規久朗『バロック美術の成立』山川出版社、二〇〇三年。

21世紀研究会編『食の世界地図』文春新書、二〇〇四年。

安達まみ、中川僚子編著『〈食〉で読むイギリス小説』ミネルヴァ書房、二〇〇四年。

白百合女子大学言語・文学センター編『文学と食（アウリオン叢書02）』芸林書房、二〇〇四年。

星野桂三『石を磨く――美術史に隠れた珠玉』産経新聞ニュースサービス、二〇〇四年。

『フランス・ハルスとハールレムの画家たち』展カタログ、新潟県立万代島美術館、佐倉市立美術館、東京新聞、二〇〇三年。

山内昶『ヒトはなぜペットを食べないか』文春新書、二〇〇五年。

本田哲郎『釜ケ崎と福音』岩波書店、二〇〇六年。
開高健『最後の晩餐』光文社文庫、二〇〇六年。
宮崎正勝『知っておきたい「食」の世界史』角川ソフィア文庫、二〇〇六年。

※　※　※

本書掲載作品の一部に著作権の所在が不明のものがありました。判明した際は速やかに対処致します。

光文社未来ライブラリーは、
海外・国内で評価の高いノンフィクション・学術書籍を
厳選して文庫化する新しい文庫シリーズです。
最良の未来を創り出すために必要な「知」を集めました。

本書は2007年1月に光文社新書として刊行されたものを、
加筆・修正を行い、文庫化したものです。

光文社未来ライブラリー

食《た》べる西洋《せいよう》美術《びじゅつ》史《し》

「最後《さいご》の晩餐《ばんさん》」から読《よ》む

著者 宮下《みやした》規《き》久朗《くろう》

2024年2月20日　初版第1刷発行

カバー表1デザイン　bookwall
本文・装幀フォーマット　bookwall
発行者　三宅貴久
印　刷　堀内印刷
製　本　ナショナル製本
発行所　株式会社光文社
〒112-8011東京都文京区音羽1-16-6
連絡先　mirai_library@gr.kobunsha.com（編集部）
03(5395)8116（書籍販売部）
03(5395)8125（業務部）
www.kobunsha.com
落丁本・乱丁本は業務部へご連絡くだされば、お取り替えいたします。

ISBN978-4-334-10220-3　Printed in Japan